センスがないと
思っている人のための

読むデザイン

鎌田隆史
Kamata Takashi

旬報社

まえがき

本書「センスがないと思っている人のための読むデザイン」は、デザイナーを目指す学生、あるいは学生でないみなさん、またデザインの世界に足を踏み入れたばかりのデザイナー1、2年生の方達、そしてデザインというものに興味を持っているすべての方に向け、デザインの奥深さや上達法を伝える本です。

特に「自分はセンスがない」と思いこんでいる人に読んでもらえたら嬉しいです。

この本の元になったのは「まぐまぐ!」で2008年より配信しはじめた「プロが教える美大いらずのデザイン講座」というメルマガです。

このメルマガは、ぼくがデザイナーとして仕事をしはじめて10年くらいキャリアを重ねた頃、ある会社でデザインチームのリーダーに任命されたときに経験したことや考えたことが元になっています。

そのときのデザインチームのメンバーは、全員がほぼデザイン制作未経験者だったので、リーダーであるぼくから働きかけて、短期間でスキルアップしてもらうしか方法はありませんでした。

「ノンデザイナーの人間に、デザインの基本や上達法を理解してもらいつつ、実際の仕事でクライアントに満足してもらえるデザインを作ってもらう」という目標は、誰よりもぼく自身が「デザインに対しての一段深い理解」を求められることとなりました。

自分が今までどんなことを考え、どんなことに気がついたから、スキルアップできたのか。「その答え」を探す日々がはじまったのです。

それまでデザイナーとして自分の成長だけを考えていればよかったぼくは「いいデザインを作るために何が必要で、どう伝えればいいか」、大いに戸惑い苦しみもしましたが、結局できることと言えば「デザインの基本原則を、デザイン制作をする過程で丁寧に説明していく」ことしかありませんでした。

しかし（本人達のがんばりがあったのが一番ですが）結果的に未経験デザイナー達は、ほぼ2ヶ月くらいのうちに、社内でメインデザイナークラスの実力となり、クライアントから褒めてもらえるようなデザインをどんどん作り上げるようになったのです。

「きちんとデザインの基本を理解して場数さえ踏めば、未経験であってもどんどんデザインが上達する」という結果に驚いたぼくは、「彼らに伝えたこと（上達法やデザインの基本原則）を一般の人にも伝えたい・読んでもらいたい」という一心でメルマガを書きはじめました。10回くらいでおわるかと思ってましたが、思いがけず好評をいただき、結局13年ほど（そろそろ200回）も続けることになり、2021年4月で2500人ほどの読者が登録してくれています。

メルマガのターゲットとして「デザイナーを目指す学生さん」あたりをイメージしていましたが、読者の方の相談に積極的に乗っているうちに、デザインに興味があるというノンデザイナーの方や、職場に先輩デザイナーもいなくてどうやってスキルアップするか悩んでいる新人デザイナーなど、幅広い職種の方がメルマガを読んでくれていることに気がつきました。

そんなタイミングで、旬報社さんより「書籍化」のお話をいただき、本書を出版させてもらうことになりました。

せっかくですので、幅広い立場の方々にも読んでいただけるように、いかにもデザインの参考書という参考作品や図版の多い本ではなく、一般の方々にもエッセイのように気軽に読めて、いつの間にか「深いデザインの本質」まで足を踏み入れてしまうような、「読むだけでセンスが上がってしまうような」本にできればいいなと考えました。

タイトルにある「センスがないと思っている人」とはかつてのぼくであり、未経験で自信のかけらもなかったデザインチームのメンバーたちです。

「デザインの現場で彼らに伝えてきた心からのアドバイスやデザイン上達のヒント」そんなエッセンスをこの本には詰めこみました。

センスはいくらでも磨けます！

そしてデザインの基本を覚えて正しい方向へ努力すればどんな人でもデザインは上手くなるのです。

一人でも多くの方に本書を読んでいただければ、心から幸せに感じます。

contents

Part 1 街はデザインの学校

Part 2

デッサンと描写力

Part 3

「センスのいいデザイン」の正体

Part 4

デザインの現場で

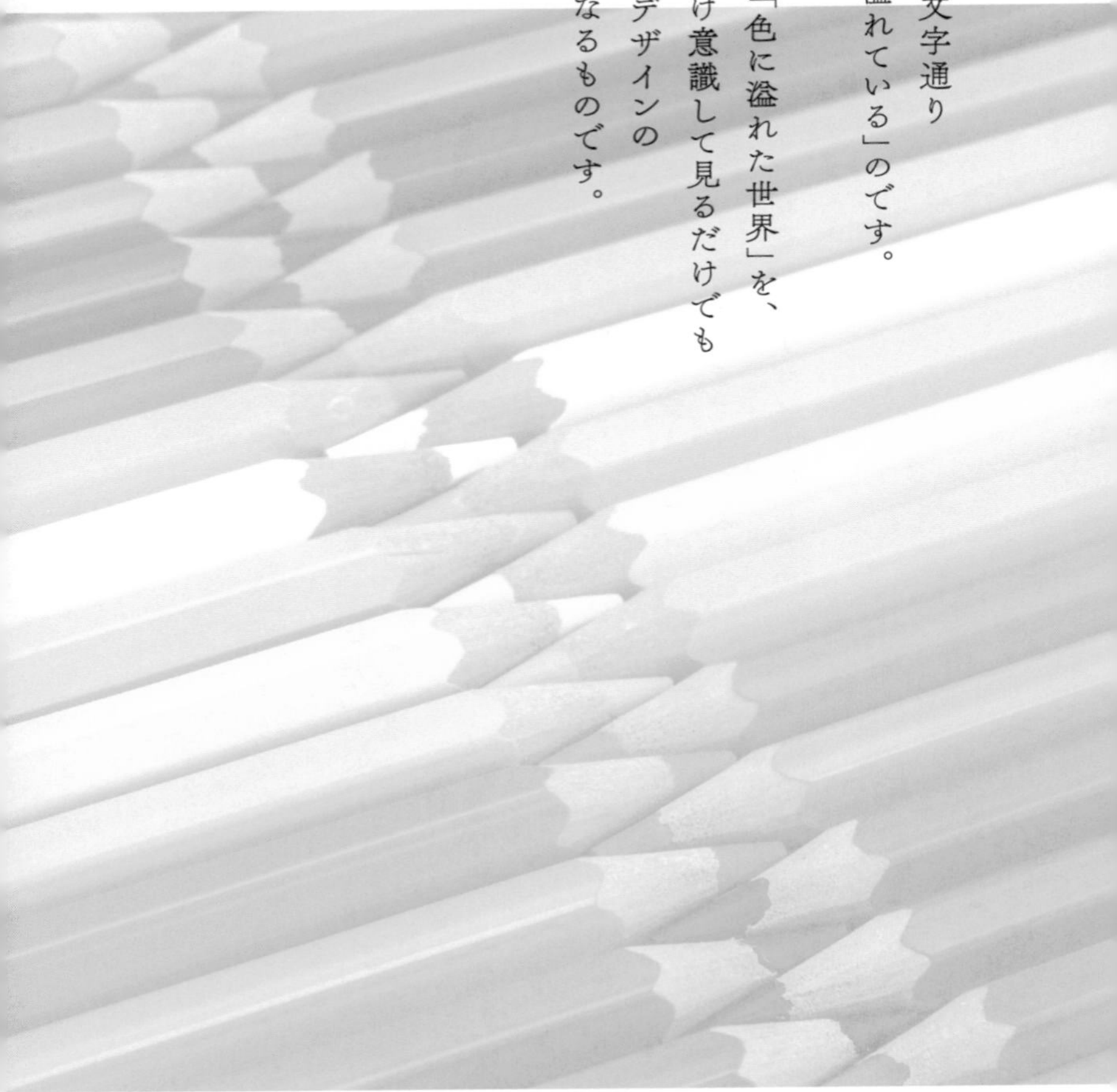

世界は文字通り
「色に溢れている」のです。
そんな「色に溢れた世界」を、
少しだけ意識して見るだけでも
自然とデザインの
勉強になるものです。

（36ページより）

Part

1

街はデザインの学校

ＰＣを捨てよ、街へ出よう

「デザインを作りたい！」と思ったら、何を作るか決まっていなかったとしても、まずは自分の引き出しを増やすことからはじめてみましょう。自分の引き出しが「空《カラ》」ならばおもしろいデザインができるはずもありませんから。

では、どこから探していけばいいでしょうか。思いつかなくても心配いりません。少し好奇心を働かせれば、街はデザインの学校になり、素材集にさえなるからです。

とりあえず街に出てみて、ジャンルやカテゴリ分けなんか気にせず、とにかく自分が素敵だな、と感じるデザインのもとを探してみましょう。

あなたがＣＤジャケットのデザインをするからといって、今ＣＤ売り場に直行する必要はありません（むしろ避けたほうが良いかも）。**ＣＤのデザインのヒントをスニーカーのデザインから見出すくらいで丁度良いのです。**

街に出たら「出会いの感動」をともなう「あなただけの情報」がたくさんあります。街を歩きまわって、とにかく「おもしろい」と思えるものを、メモ帳に書いたり、あるいはスマホでビジュアルとして記録しておくのです。あなたのアンテナがキャッチして記録したものの中で、記憶として残っていく情報があります。**それらの記憶が、デザインの引き出しになります。**

昔、寺山修司という天才が『書を捨てよ、町へ出よう』という本を書いていますが、現代版に置きかえると「PCを捨てよ、街へ出よう」かもしれないですね。

タワレコなどのCDショップでは、ジャケットはもとより、フリーペーパーや新作DVDのチラシが置かれてます。その中で気に入るものを持って帰りましょう。店先で何かおもしろいものを見かけたら、さり気なくスマホのカメラで撮ってみるのもオススメです。

宣伝用のポップだっていろいろと工夫して作ってるのでデザインのヒントになるかもしれません。

ぼくもはじめは店先で写真を撮ることに抵抗があったのですが、最近はすっかり慣れてしまい、自然に店先でもばんばん撮れるようになってきました（まあ、あまりに没頭しすぎて、一度ガードマンみたいな人に追いかけられたことがありましたが）。

じっくりと撮りたいなら、ショーウィンドウのディスプレイも狙い目だったりします。

「インターネットでいいじゃん。街へ出るなんて面倒だよ」と言う人もいます。もちろんインターネットを使わない手はないのですが、ネットの情報だとどうしても受動的で、あまり頭に残らなかったりします。それに、テキストもビジュアルも、どこかのメディアに一回掲載されたものがコピーされている……という、すでに出回っている情報であることも多いように思います。そうした情報からは、あたらしい出会いや驚きに満ちた発見は起こりづらいのではないでしょうか。

それよりも、街に出会いを求めてひたすら歩き、おもしろそうなものを撮ったり、チラシを持って帰ってノートに貼りつけるなど、行動することで獲得した情報のほうが頭に残るものです。

歩くのは「脳にも良い」とか「アイデアが出やすい」と言いますから、どこかへお出かけすることをオススメします。

ぼくは駅ビル（アトレやルミネなど）の店内ディスプレイや、季節ごとのビジュアルテーマに注目しています。駅に隣接しているようなお店は流行に敏感で、お店のディスプレイやポスター、商品もおしゃれで素敵なデザインのものが多く、センスを磨くのにも最適な環境のように思います。

あなたの記憶が、デザインのもとになる

ですが、たくさんのいいものに出会えたとしても、そこから今すぐ、自分が作っているデザインに直接落としこむことができるか、と言われるとなかなか難しいでしょう。

すぐに結果がでる方法ではありません。しかし、**情報やビジュアルを自分の手で写真に撮ったり、絵に描いたり、切り抜きをスクラップして、いつでも思い出せる状態にする、ということがとても大切**です。

そうやって手に入れたデザインのもとは、自分の中に積み重なり、出会いが増えることで、時間をかけて化学変化を起こします。

それこそがあなたというデザイナーをど

んどん豊かにしていくのです。

よく、センスのいいデザイナーを羨むような人がいますが、大抵、センスがいいと言われてるデザイナーは、身のまわりのすべてのものから意識的にデザインのエッセンスを取り入れ、必死にデザインのもとを探すことで、自分のセンスを毎日磨いているのです。

デザインのもとは、元々は他人が作ったものですけど、少なくともあなたが感動し、驚いたことで「あなたをくぐり抜けた記憶」となり、あなただけの固有のデザインのエッセンスとして、無意識からあなたのクリエイティビティを支えます。


最初はハードルを高く設定せず、仲の良い友だちに見せたときに「へえ、かわいいね」と言ってもらえるといいな〜というくらいのノリでデザインのもと探しをはじめてみてください。

ぼく自身、誰にも共感してもらえそうになくても、自分の心がぐっとアガるワクワクを感じたらとりあえず写真に撮るように心がけています。

直接デザインに活かせるようなものから、そうでないものまでいろいろですが、ちょっとでも心に引っかかるもの、ワクワクするものがあれば良いのです。

デザインのもとを探していくことは、ただ純粋に楽しいですし、その楽しさはデザインを作り続けるうえでとても大切な力にもなります。

街には、一流のデザイナーたちのお手本デザインで溢れていますから、それを教材とすることは、実は思っている以上にセンスを磨く方法として効果があるのです。

センスのいい人は、誰かの仕事（デザイン）を吸収して、自分なりのデザインができる人なのだと思います。

「お楽しみノート」の作りかた

ただ、悲しいかな、人は覚えたものをすぐに忘れる生き物です。

あなたが一日中歩き回って手に入れたデザインのもとは、あなたが意識して残していかなければなりません。

そうです、デザインのもとをスクラップブックにまとめてみましょう。

このスクラップブックを仮に「お楽しみノート」と名づけます。

真面目な話、この「お楽しみノート」さえあれば、デザイナーにぐっと近づけると言ってもいいくらい大切なものです。

デザインを続けていくうえで大事にしたいことのひとつとして、「目の前の作業をどれだけ楽しめるか」ということがあります。

「楽しんで作業する」ことは、ただ単にこなすことの何倍も効果的です。

「お楽しみノート」づくりも、「素材集め」も含め、どれだけ楽しめるのか？　であなたのデザインの引き出しの質《クオリティ》が変わってくるはずです。

さて、そのなんだか怪しい「お楽しみノート」を作るポイントについてご説明しましょう。


お楽しみノートのポイントは2つです。
・自分の好きなものを一冊に集める！
・そして自分で手を加えてアレンジする

これらをセットにした**クリエイティブな遊び**だと思ってください。

その方法を具体的にご説明していきますね。

❶ ノートを探す

自分の好きなノート、手帳、スケッチブック……何でもいいですが、とにかく自分が毎日開いても嫌にならない好みのノートを見つけましょう。自分だけのお気に入りのスクラップブックを作るわけですから、誰に気がねすることなく好きなノートを選びましょう。

ちなみにぼくは〝モレスキン〟というがっちりとしたつくりの、シンプルで飽きのこないノートを使ってます。ゴッホも使ってたという歴史あるノート帳です。まぁ、少し高いですが……。

でも、「どれだけ貼っても壊れない」という安心感と特別な上質感が気に入って奮発して使ってます。貼りまくりすぎて変形してますが、全然大丈夫です。少しくらいでは壊れません。ただ、モレスキンは基本サイズが13×21cmなので、少し小さく感じる方もいるかもしれません。そんな方にはマルマンのスケッチブックがおすすめです。いろいろなサイズもありますし、小さな文房具屋さんでも手に入るからです。

②「素敵だな」と思ったものをとりあえず詰めこむ

そのノートに、街で探してきたフリーペーパーや、「かっこいいな」「とっておきたいな」と思ったチラシ、ショップカードなどとにかく深く考えずにどんどん切って、どんどん貼っていきます。自分が撮った写真もプリントできるなら、貼ってみましょう。**自分仕様のパーソナルな一冊**となって愛着がわきますし、使いやすくなるはずです。ただし、なるべく、剥がせるタイプののりで貼っていきます。仮貼りという感じでしょうか。

③そこからあたらしいものを作る

ある程度のページが埋まったら、しばらく眺めてみます。

時間があれば「なぜそれらのデザインのもとを選んできたのか？　どこが〃素敵だ〃と思ったのか？」考えてみます。

場合によってはここでやめても構いません。「記録する」という意味からするとここまでで、ひとまず完成しているからです。

しかし、ここからがぼくのオリジナルで、より効果的なデザイン上達法になります。それら集めてきたデザインのもとを素材にして、**一枚の自分の絵としてコラージュしていく**のです。

人が作ったものをつなぎあわせて作るわけですが、ここで作りあげるビジュアルについては**「自分の作品」という意識を持って作ることが大切です**。すべてのページをコラージュ作品にしないで構いません。デザインのもとをただ貼ったページがあってもいいでしょう。

「作品として」というのも、まあいい意味で適当にやってみましょう。毎回「完璧にコラージュを！」とか意気ごむと疲れますし、いつまでたっても完成しなくなります。

なぜ、わざわざコラージュに作り直すのか、ということの理由は、集めてきた素材、インプットしたモノたちを自分の中で咀嚼《そしゃく》してアウトプットすることで、デザインのもとから吸収できる栄養分を濃くするためです。

「お楽しみノート」はただ情報を集めて貼るだけではなく、それを作っていく過程で感性を高めていく狙いがあります。**インプットをインプットだけで終わらせるのではなく、アウトプットすることでデザインの練習にもなっていく**わけです。

まあ、1、2頁やってすぐに変化が起きるわけではないので、スクラップブック1冊を作品集のように作ること、コラージュすること自体を楽しんで、習慣化するのがコツですね。たくさんやればやるほどコツがつかめてきます。できるだけ数をこなしてみましょう。

実際「コラージュ」なんて言うと身構えちゃいますが、いくつか作っていくうちに「この貼りかたより、見開きを意識したこの構図がいいな」などと自然に工夫しはじめます。そんなちょっとしたことから、レイアウトを決める感性もレベルアップしますので、大丈夫です。まずはやってみてください。

参考までに、61頁にぼくのスクラップブックを載せますね。ただ、これはあくまでも、ぼくのスクラップブックなので、参考程度に見てもらえれば嬉しいです。

例えば「春っぽいイメージ」とか「おもしろいフォント」とかテーマを決めて作ってもいいですし、いろいろと試してみるといいでしょう。

あなたは**「あなたにとってのお楽しみノート」**を作ればいいのです。

「コラージュ作品は面倒だな」と思うなら、ただ時系列順に並べて貼っていくのでも構いません。意外なもの同士が隣合って貼られていると、その組み合わせの妙であたらしいアイデアへとつながるかもしれません。
お楽しみノートを作ることでデザインの第一歩を踏み出してもらえたら嬉しいです。

「写真を撮る」とデザインスキルは上がる

さて、このほかに、気軽にできるデザイン上達法をご紹介します。「写真を撮る」こともそのひとつです。写真を撮る際には、デジカメや一眼レフカメラでなくて構いません。スマホのカメラでも十分です。

この方法でさまざまな角度からあなたのデザインスキルを上げることができますが、その際、**3つほど意識していただきたいポイント**があります。

その一、「つかみは何か?」

その二、「レイアウトは決まっているか」

その三、「ビジュアルメモとして見返したいものを撮れているか」

それぞれ説明いたします。

(その一)「つかみは何か?」

写真には、「お笑い」でいうところの「つかみ」のような、見ている人に訴えかけるポイントが必要です。ビジュアルでもアイデアでも構いません。

自分が撮る写真に、**絵としてアピールできるようなポイント**はあるのか。いつも意識しながら写真を撮ってましょう。

まあ、それって、誰もが意識する「いい写真」の必要条件なので、いい写真を撮ろうとすれば、自然に「つかみ」を意識せざるをえないわけですが。

もし、あなたが今この本を通勤電車の中で読んでくれているとしたら、中吊り広告に目を向けてみてください。かならずあなたの目を惹きそうなビジュアルの「つかみ」が画面の中にあるはずです。「主役」と言ってもいいかもしれません。

①商品メインの場合

②モデル（人物）メインの場合

つかみを何に設定するか？

例えば、炭酸飲料の広告で「つかみを何に設定するか？」でデザインの方向性、広告の方向性が変わってきます。

① 商品メインの場合

商品を極端に拡大してペットボトルにしたたる水滴まで見せる広告だとすると、「夏に飲むと特に美味い！」ということをアピールしているかもしれません。

② モデル（人物）メイン

逆に「炭酸飲料を飲むことでさわやかな気持ちになれる」というメッセージを、モデル（人物）にフォーカスさせることでアピールするパターンもあるでしょう。

あまりモデルに人気がありすぎると、なんだかモデルにばかり目がいってしまい、商品の存在感が薄くなってしまうかもしれません。でも、その商品を飲んで「美味い！」というモデルの表情で売上だってあげられるかもしれません。

写真を撮るときも、ただ漫然と撮るのではなく、**「この写真は何をアピールするか」**「この写真のつかみは何か」など、自問自答しながら撮るようにしてください。もちろんシャッターチャンスは、待ってくれないでしょうから、瞬間的にその判断をしていかなければなりません。

しかし、だからこそあなたの思考にいい意味で負荷がかかり、**「デザイン脳」**が育てられるのです。ユーザーの心を捉え、「お？」と思わせる〝何か〟を意識して、楽しむことも忘れずに写真を撮ってみましょう。それで十分に訓練になっているはずですから。

（その二）「レイアウトは決まっているか」

四角いファインダーの中にどうやって瞬間的に被写体をレイアウトするのでしょうか。「これなら絵になる」ものとして成立する位置に被写体（あるいはモチーフ）が存在してるまさにその瞬間、シャッターを押すことが求められます。つまり、**すごい早いペースでレイアウトを次々と決定している**ようなものです。だからこそ、デザインレイアウトの訓練となる、いいスパーリングとなるわけですね。

「絶対に良い」と思えた場面や風景でも、四角く切り取ってみたら案外つまらなかった……。かなりの割合でそんなことが起きます。

性能だけを考えると、スマホでも簡単にキレイに写真が撮れる時代ですが、「いい構図の写真」を撮るのは難しいものです。

日常的に写真を撮っている人には「あるあるだな」とわかっていただけるように思いますが、素敵な風景に出会ったり、素敵な場面に出くわして「シャッターチャンス！」と唸りながら、ファインダーを覗いてみると、「全然絵にならない！」なんてことありませんでしょうか（ぼくはよくあります）。

これは人間の視覚（180度近いでしょう）と四角く切り取ったファインダー内のレイアウトで、見えかたがまったく違うから起きることだと思います。絵であったり写真であったり、デザインには「四角い枠」という制限があります。

レイアウトが上手くなる、ということは、極端な言いかたをすれば**「枠を意識する」**ということでもあります。ファインダーを覗くこと（「写真を撮る」ということ）はこの「四角い枠」に制限されながらも、どう魅力的にモチーフを枠内に配置していくか、格闘することなんですね。

写真を撮り慣れていない人にはまず「ファインダーを覗いてみると絵にならなかった……う〜ん残念！」という失敗の感覚を含めて**「四角い枠」に慣れていくことで、レイアウト感覚を磨いていってもらいたい**と思います。

写真を撮ることのメリットって、撮りたいモチーフを枠の中にキレイにレイアウトすることの難しさに気づくことが、一番大きいかもしれません。

（その三）「ビジュアルメモとして見返したいものを撮れているか」

これについては「その一」や「その二」とは性格がまったく違います。素敵だと感じたものをしっかりと記録する、見返せるようにビジュアルメモとして残す、ということです。

当たり前のカメラの使いかたかもしれませんが、「デザインの素材集め」のフットワークを軽くするため、デ・ザ・イ・ン・の・も・とをどんどん残していきましょう。

目の前にきれいだなと思えるものが出てきたら、深く考えずシャッターを切ることをオススメします。

クリエイティブなものを……と気負わず、きれいなものをストックしていくのです。もちろんせっかく写真を撮るのですから、つかみを意識し、レイアウトを考えながら撮って構いませんが、「写真＝記録」「写真＝ビジュアルメモ」ということで、**「とにかく後から思い出せればいい！」**くらいに割りきって、写真を撮っていくことももときには重要です。

まあ、この一、二、三からやりやすいものを選んで、遊びの感覚を持ったまま、フレキシブルにいろいろと試してみてもらえればと思います。

「ビジュアルメモ」の応用例ですが、ぼくには「配色メモ」として日常生活で見る色の中から「きれいな色合わせ」にフォーカスした写真を撮りためていた時期があります。

その頃は仕事で「傘のデザイン」をさせてもらっていた時期で、いわば仕事の特性上、必要に駆られてやっていたのですが、結果的に何冊もの「カラーノート」、「世界に1つしかない大切な色見本帳」としてぼくを支えてくれたのです。

「色のセンスがイマイチなんです」と悩んでいる人は、**「気になる色を写真で撮る」方法で色と向き合い、色感をあげていくことだってできる**ので試してみてください。

「写真を撮ること」はデザイナーにとって「百利あって一害なし（？）」です。

またグラフィックデザインにおいて「写真」を上手く使えるかどうかはとても重要なことでもありますし、デザインスキルにダイレクトに影響があるのではないでしょうか。**デザインのスキルをあげたいと思っているのなら、デザイナーでもノンデザイナーでも意識的に写真を撮っていくべきだと思います。**

世界は色で溢れている

カラーノートのお話に引き続き、もう少し色の話をしましょう。

不思議な見出しになってしまいましたが、実際に、ぼくたちの世界は「色で溢れている」と思いませんか？　試しに少しだけ、あなたの身のまわりを見てください。

あなたの目に入るもので「色のついていないもの」はひとつとしてないでしょう。

人が夕焼けの美しさを見て涙を流しそうになるとき、その圧倒的に美しいオレンジの色合いによってより強く心が動かされるのでしょうし、美しい服を見て感動するときも「色」を抜きにしたらそれほどでもないかもしれません。

それだけぼくたちが考えるよりも「色」のインパクトは大きいのだと思います。

そしてもうひとつ踏みこんで言えば、**「色」**よりも、**「色合わせ」「配色」**にぼくたちは感動しているのかもしれません。

もちろん、１色だけで、「きれいだ！」と感じることだってあります。テレビでタレントが着ていた「黄色」1色のドレスを見て、「黄色ってこんなに綺麗だったんだ！」とあなたが感じたとしても、それは嘘ではないでしょう。例えばどのノートを買うか迷っているとき、色そのものの発色のきれいさで選ぶこともあります。しかし、よくよく考えてみれば、何かの色、1色だけを見てきれいだと感じることは、「どの色の商品を選ぶか」迷ったときなど、限られたケースしかなかったりします。

燃えるような紅葉の美しさ、素晴らしさを前に涙を流すほど感動して、「ひさしぶりに見た紅葉のオレンジが綺麗だったよ！」と誰かに言いたくなったとき、実はあなたは「オレンジ」だけではなく、「オレンジ」を引き立てる「緑色」や「黄色」も同時に見ていて、その2色があることでオレンジの美しさが引き立ち、目が奪われる、ということがあります。

配色の中心の色だけを覚えているケースですね。

そしてぼくたちデザイナーが何かをデザインするとき、1色だけで完結するデザインはほとんどありません。必ず「自分が使う色」には「隣の色」が存在します。そういう意味で、デザイナーの中には、**「色はその色だけでは存在することはできない」**とさえ言う人もいるくらいです。

ですから、これからデザインをはじめようとしている人は、「何色と何色の組合わせ、響き合いに自分が感動したのか」、常に**複数の色の組み合わせで**色を考える癖をつけていけばいいかと思います。

感覚的に「きれい！」と思い、感動したもののよくよく見てみると「色合せ」に感動したんだ、と後で気がつくことがあります。

極端な話、白黒《モノクロ》であっても「きれい」な色合わせのバランスに感動したってことは、よくあるものです。

さて、もちろん色には基本原則であったり、学ぶべき「色の知識」というものがあります。ぼくたちデザイナーは本当のところ、色についてどれくらいの知識がないといけないと思いますか？

学者のように色を研究する必要はありませんが、ある程度は体系的に勉強することは必要でしょう。色と言うと「感覚的」「感性」というイメージが強いですが、実はほとんど、論理的に説明がついたりします。もっと言うと、感性と論理、どちらからも色についてアプローチすることは可能ですし、どちらかに偏ることなく両方から「色」について学んでいきたいものです。

右脳的（感覚的）↓色の感性

左脳的（論理的）↓色の知識

そんな風に分けて整理してみると、わかりやすいかもしれません（そしてもちろんどちらかのアプローチも必要だったりします）。

右脳的には自然に日常的にやってること、「きれいな色をきれいと素直に感じていく」ことを続けていけばいいでしょう。

左脳的には、色についての基本法則を理解してしまえば良いと思われます。

自分の「色のセンス」「色感」に自信を持っている人は、感覚だけで「色」をコントロールできると思うかもしれませんが、そうではありません。**少しでも色の知識を増やして**もらえれば、驚くほど色の世界が広がり、もっと楽に色を使いこなせますよ。

いきなりフォトショップで自分の好きな色を使っていくのではなく、色についての最低限の法則や特性を知っているといいですね。

ぼくのメールマガジンの読者からの質問で、プロのデザイナーである自分も知らないような、色についての専門用語を聞くときがあります。

「昨日学校の講義で出たんですけど、トライアドの配色って覚えてないといけませんか」

こんな質問です。

正直言って、ぼくもメールをもらうまでこの配色方法の名前をすっかり忘れてました。

確かにあります、この配色方法。大学で一応学びました。

色相環《しきそうかん》の中で、等しい距離にある3つの色の組み合わせを、「トライアド」と呼びます。覚えられるなら覚えておいたほうが良いかもしれません。配色が上手くいかなくて迷うとき、こういう法則が助けになることがあるからです。ただし、いきなりこういう専門的なテクニックから色についての勉強をはじめるとあまり良い結果にならないかなとも思います。法則を覚え、試験で答えられるからといって実践で色を使いこなすこととは別次元です。

これは色だけに限ったことでありませんね。

テクニックを表面的に覚えたとしても、デザインの現場で活かせないのであれば仕方ありません。

本当に大事な基本原則は覚えてしまうべきですが、色彩検定の資格を持っているからといって実際にデザインができるわけではないのです。

では「本当に大切な基本原則・論理的な方法」と「意味のないテクニックや専門用語」を明快に区別する基準ってあるでしょうか。簡単に言ってしまえば、**デザイン制作の実践の場で使える知識・法則であるかどうかのただ一点です。**

明度・彩度・色相の関係などの「色の3大基本原則」は実際にデザインの現場で知っていないと、正しく色を使いこなせません。だから重要です。

イメージとしては、「本当に必要最小限の原則」だけは調べて理解→その基本原則を使いながら実践で配色デザインをこなす→このサイクルを回していく。これこそが配色が上手くなる一番の近道です。

わたしたちはいつも日常生活の中で色に触れています。色を見て、色を感じているのです。世界は文字通り「色に溢れている」のです。そんな「色に溢れた世界」を、少しだけ意識して見るだけでも自然とデザインの勉強になるものです。

・曇り空のグレーの豊かなグラデーション。
・夕焼け空、朝焼けの色（それぞれの空色の違い）。
・庭の花にとまる蝶の美しさ。
・スイーツの甘い色の組み合わせ。
・鏡の中のあなたが毎日着ている服の色。

これらをあなたは毎日見ています。

少し色の基本を勉強してから、あらためて、「色でできている世界」を感じて、色を確かめて、しみじみと色を味わってみるだけでかなりわかってくることもあります。

今一度、あなたの身のまわりにある色に着目してみてください。

いざパソコンに向かうとなると色が使えない……という人も毎日選んで身につけているシャツとズボンの組み合わせなんか、素敵に着こなしていることもありますよ。

色感って、もとからセンスがいい人もいるでしょうけど、ぼくは後天的に鍛えるものだと昔から信じてきました。

まず「セパレーツ」・「ハレーション」などといったテクニック的なことを気にする前に、

「世界が色で溢れている」といった当たり前のことを思い出し、**自分のまわりのきれいな色たちを素直に見てあげましょう。**

そして「この色合わせはなんできれいに見えるのか」と子どものように考えてみることのほうがよほど大事な気がします。その色合わせがきれいな理由を探すために必要であれば、専門的な色の法則を勉強すればいいでしょう。そうすると自然と色についての理解力が増していくと思います。

通勤電車の中でできる「コンセプト探しゲーム」

「通勤電車の中でデザインスキルをあげる方法」という少し変わったテーマです。短めにさくっといきましょう。ちょっと息抜きの気持ちで読んでいただけたらうれしいです。

この方法はフォトショップもスケッチブックもいらない、ゲーム感覚でできる「スキルアップ法」です。別名**「コンセプト探しゲーム」**です。

通勤・通学電車の中で目にする中吊り広告などを見て、そのデザインで何を伝えようとしているか、コンセプトを探しながらデザインを学んでしまおうという方法です。

ぼくは会社員時代、埼玉から東京まで通勤していたのですが、片道1時間20分くらいかかりました。その間、時々やるゲームみたいなもので、遊びの感覚で続けていましたが、ある日「毎日この方法を続けていけば、いつの間にかデザインが上達してしまうのでは」と気がついてしまい、周りにも勧めるようになりました。

「コンセプト探しゲーム」とは、**「この広告デザインを作ったデザイナーは何をコンセプトに作ったんだろう」**と作り手の気持ちになって考え、シミュレーションをしてみることです。「こうだろうか?」と仮説をたてていくと言ってもよいかもしれません。

もっと言えば、「その広告が狙ってるのは何か?」「ユーザーに何を伝えようとしているの?」ということを自分なりに考えていく、ということです。

できれば、写真に撮って、後で見返してみることをおススメします。デザインにはすべて理由があります。また「理由があるからこそデザインである」とも言えるのです。そしてその「理由」とは「コンセプト」と深く関わっています。

デザインをするうえでコンセプトをたてることはとても重要ですし、これを意識していなければ、どれだけビジュアル的にすごいものを作ったとしても意味がありません（アートではないのですから）。

よく、中途採用面接で面接官の人がデザイナーに「なんでこういうデザインにしたんですか？」と聞くことがあります。

ただなんとなく聞いてるわけではなく、「きちんと自分なりにコンセプトを考えて、こうだから、こういう理由でこのデザインにしました」と言えるように整理ができているのか、理由づけられているのか……、そこを面接官は探っています。

この「コンセプト探しゲーム」はプロが作った広告デザインから、**そのデザインの「コンセプト（理由）」を探していくことで「自分ならどういうコンセプトを持ってこのデザインを作っただろう」とシミュレーションをしていく**ことです。

会社へ行くまでのたった5分間でも、広告ポスターが先生となって、実に多くのことを教えてくれます。

最高級のビールを目指して価格も高めに設定したビールの代表格として「ザ・プレミアムモルツ」があげられます。時代ごとに若干違っていますが、高級感を出すために「明朝体」を使用し、配色も濃い紺を背景にゴールドを刺し色として合わせた、ドッシリとしたデザインになっています。

一方で、低価格で気軽に楽しめる発泡酒の代表格として有名なのは「のどごし〈生〉」でしょうか。「ゴシック体」を使い、白と金色の明るい配色で、こちらは動きのある元気なデザインで作られています。

例えばあなたが高級感のあるビール（仮に「香り生」としましょう）のデザインを任されたとしましょう。

コンセプト探しゲームで既存のデザインから日々学んでいると、自然にどんな書体を選べば高級感が出るのか……。まるで過去に自分がそういうデザインを経験したかのように、イメージができてきたりします。

また、お手頃価格でうまい発泡酒（仮に「ぐい麦」）のデザインならどんな書体を選べばいいのか、についてもまるで経験則があるかのようにわかるはずです。なぜなら**「コンセプト**

ゴージャスな「香り生」、リーズナブルな「グイ麦」のちがい

探しゲーム」を通じて、「普遍的なデザインの法則」を気がつかないうちに血肉化して自分のものにしているからです（細かい部分はともかく大きな方向性は上のイラストのようになるかと思います）。

このように誰かに説明できるくらいにコンセプトを整理しておきます。

そこまでできてくると、デザインの再現性はぐっとあがるのです。

言いかえれば、この再現性を手に入れるために「コンセプトゲーム」しているのです。

これは、スマホゲームより、ずっとずっと奥深い「遊び」です。

「デザインする」ということ以外の道から、「デザイン」の力を鍛えるということは、確実にあなたを助ける力になります。

フォントの使いかたに気を付ける

以前、勤めていた会社で、入社2年目くらいの後輩デザイナーからアドバイスを求められたことがありました。

彼女は元々絵を描いていた人だったので、結構上手にデザインしていましたし、作品としての完成度は高かったのですが、どうしても気になり、指摘させてもらったのが「フォントの使いかた」です。

彼女の知っている（使える）日本語フォントが少なく、ごく限られたモノしか使えていませんでした（ほとんど2種類）。

単調だし要求されているデザインともまったく合っていなかったのですね。

そのときに作っていたのは、いわゆるキャンペーンサイトのデザインでしたが、この場合、ゴシック体など、太めのフォントを使って、ある種のインパクトを与える必要があります。しかし、使用されていたフォントは細めの明朝体のみでした。しかもバックの色と文字との間に明度差がなかったので、視認性にも問題があり、非常に見えにくいデザインになってしまっていました。絵をしばらく描いていたせいか、デザインの中で「フォントの役割＝文字」と捉えてしまい、あんまり「フォントまわり」に意識を向けてなかったようです。

問題点をまとめると、この2点に集約されました。

・求められているデザインと合ったフォントが使われていない。
・フォントの視認性が低い（フォントが見えにくい）。

フォントにまつわるこの2つの間違いは、経験が少ないデザイナーだけでなく、経験者も時々やってしまいます。ぼくも、毎回それとなく気をつけています。そこら辺の間違いをな

「私立未来大学」の学生募集のポスターをつくるとしたら……

くすことも含めて、どうすればフォントの使いかたが上手くなるのか、彼女に聞かれました。

フォントの使いかたが上手くなる方法とは何か？　ずばりそれは、フォントに対して興味を持つことにつきます。

欧文・和文問わず、フォントはどこにでも使われてますよね。新聞でも、雑誌でも看板でも。電車に乗れば中吊り広告がありますし、百貨店、本屋さんなど、さまざまな場所で、伝えたいもののイメージに合ったフォントが、数百ある中から選ばれて使われています。

例えば「○○大学、新入生募集！」という広告（前頁）のフォントで、左のような歌舞伎で使われている勘亭流（江戸文字）など絶対使わないでしょう（歌舞伎大学・落語大学などがあれば別ですが）。

大抵は右のように明朝体か、大人しい細めのゴシック体くらいかと思います。

また、スタバの店内メニュー（レジの上にある飾られている看板の所のメニューです）に使われていているフォントは、ＡＸＩＳ Ｆｏｎｔですが、なぜスタバはこのフォントを採用したのでしょうか（２０２０年2月現在）。

ここら辺はもう「感性で選んだ」としか言えない部分なので、説明しづらいですが、まあひとことで言えば、洗練されて大人のセンスにも耐えうるから、と言うところでしょう。

そう、とにかくいろいろなデザインを見て（新聞、雑誌、ｗｅｂ、街中の看板、広告、パッケージ）、**なんでここの文字に、このフォントが選ばれたかを考えてみること、**興味を持って、一歩踏みこんでそれぞれのフォントのニュアンスを感じるということを日々積み重ねていくことにより、的確なフォント選びができるようになってくるのです。

フォントは単なる文字ではなく、形（フォルム）と意味を同時に伝えることができる、とても大切なデザイン要素です。

それだけに使いかたがわかってくると、どんどんデザインをすること自体が楽しくなってくるだろうし、深くわかってきます。

ゴシック体と明朝体の特徴

続けて、和文フォントの基本的な部分、ゴシック体と明朝体の違いについて書かせてもらいます。

ここまでフォントを使うにあたって、基本的なことや前提のようなものを書きましたが、より具体的にイメージできるように実例を出しながらご説明していきます。

さて、そもそもゴシック体と明朝体ってどんな書体でしょうか。

ゴシック体

ゴシック体は縦横の線の太さがほぼ均等の日本語（和文）フォントで、装飾性を持たずシンプルな見た目の書体で、視認性に優れているため、標識や地図表示・プレゼン資料などでよく使われています。

明朝体

明朝体は線の太さに強弱がある日本語（和文）フォントで、基本的に縦線と比べて横線が細いです。筆で書いたような書体で線のはじまりやおわりにいわゆるウロコ（三角形の山）があります。小説やレポートなど長く読む文章に適しています。

ゴシック体や明朝体の特徴をきちんと理解できると、自然にそれぞれの得意分野もわかってきますすね。例えば、ゴシック体の一番の特徴は「見やすさ」ですから、地図表示・標識・駅名表示（駅名標）・プレゼン資料など「ひと目見て、言葉が読めないと困る」というもので使われています。
実際、交通標識で明朝体が使用されたという話は聞いたことがありません。ゼロコンマ何秒かで標識の文字が読めないと、事故になる可能性もあるので、視認性が高いゴシック体が採用されているのは当然と言えるでしょう。
「短い時間で見やすく」と言う意味で、プレゼンテーション資料もゴシック体の得意領域でしょう。特にスライドで説明するための資料は遠くからでも見えないとまずいので、ゴシック体が使用されることが圧倒的に多いかと思います。ここら辺はデザイナーでなくビジネスパーソンも知っておいて損がない情報です。

明朝体は逆に、長めの文章を疲れずに読むことに適していますので、小説や新聞、レポートなどで使われています。皆さんの本棚にある小説、なんでもいいので手に取り開いていただければ、ほとんど明朝体が使用されていて、ゴシック体が使用されてることはまずないことがわかるはずです。

ゴシック体が、わかりやすさ、見やすさ、読みやすさが必要なときに使われる書体であることに対して、明朝体は「装飾性（ファッション性）」を強調したいときや「高級感」を伝えたいときに多く使われます。

ですから、あなたがもし「最大50％オフのセール告知」の広告ポスターのデザインを任されたなら、明朝体は使わないほうが無難かもしれません（もちろん高級店のセール告知だったり、セールだけど高級品を扱ってることを強調したい場合など、明朝体を使うときもあるでしょうけど）。

ゴシック体＝大衆感（買いやすさ、お買い得感）、明朝体＝高級感（贅沢感、プレミアム感）あるいは、ゴシック体＝カジュアル・親しみやすさ、明朝体＝フォーマル・よそいき、とも言えます。

よく、欧文フォント（欧文書体）はわかるんだけど、和文はデザインとして考えるのが難しい……そんなことを耳にします。

日本人なのに「和文フォントが苦手」って妙な話ですが、多分フォントの並んだもの（書体）をまず言葉として読んでしまい、純粋に形としてレイアウトすることができなくなるのかもしれません。

ぼくの以前の勤務先のデザインチームに韓国人の後輩がいたのですが、日本語に対する興味も手伝ってか、和文フォントへの理解が、日本人デザイナーよりも早く深いような気がしていました。日本語を純粋に形として捉えやすかったのでしょう。

和文のフォントは、見慣れているだけにかえって難しいのかもしれません。しかし、そんなことを言い訳にしていられません。身のまわりに溢れているなら、街を歩きながらでも、和文フォントにも目を配るようにしましょう。

まあ、そうは言っても、いきなり全部のフォントの違いや微妙なニュアンスを理解するというのも難しいかと思います。ですから、これを読んだ後に喫茶店に行ったり、本屋さんをうろうろしてみて、「あれが○○体かな！」と気がつくこと、あるいは商店街の看板の文字の中でどれが形として美しく読みやすいのか、そんな普段考えないようなことを意識してもらえたら、と思います。

フォントとは
デザインそのもの

さて、今一度、「フォントって一体なんだろう」というどシンプルな質問から出発してみましょう。

いろいろな答えかたがあるでしょうし、正しい・間違いとは判断できない類《たぐい》の質問です。

この本で、ぼくの用意させてもらった答えはこれです。

ぼくが思うに、**「フォント=デザイン」**だと思います。そう「デザインそのもの」ですかね。

もちろん、「フォント」と検索してみて「デザイン」なんて出てきません。

ウィキペディアから引用させてもらえれば、「フォント=同じサイズで、書体デザインの同じ活字の一揃い」と出てきます。ぶっちゃけ、こちらが正解です。

ではなぜ、「フォント=デザイン」なのか?

それは「フォント」というものが持っている2つの特性がまさに「デザイン」を構成する2つの特性、そのものだからです。

フォント＝形＋意味

フォントとは「形」であり「意味」でもあります。

まず、フォントは「意味」であるという部分です。これについては文字の一つひとつ、AやBという単体では当然意味をなしませんが、これらが単語や文章になることで、フォントは言葉になり文章になって「意味」を伝えることができるものだと言えます。

次にフォントは「形」（フォルム）であるということです。

フォント一つひとつの種類で何が違うかと言えば「形」が違います。簡単に言えばTimeという書体の「T」とヘルベチカという書体の「T」では当たり前ですが、形が違いますよね。そして例えば、「Time」という単語をこの2つの書体で書くと、「Time」という言葉全体の形・シルエットもそれぞれ違ってくるのです。あたたかみのある形（フォルム）も

あたらしいスーパーマーケットと歴史ある美術館、
人に“あたえたい印象”が違います

あればクールでニュートラルなイメージの形（フォルム）もあるのです。伝えたい意味に最も合う形（フォルム）のフォントを選べば、デザインの強さも変わってくるわけです。

さて、フォントとは「形」であり「意味」でもあるといいましたが、言いかえれば、**「意味、内容」をより正しく深く伝えるために、「形（書体）」を選ぶ**のです。伝えたい内容によって、選ぶ形（フォント）が変わってきます。

格調高い美術館のロゴですと明朝体やフォーク体、あたらしくオープンしたスーパーマーケットのチラシのキャッチはゴシック体と、内容によって選ぶフォント（形）は変わってきます。

もしも街にこんなポスターがあったら……という例え話をしてみましょう。

高村光太郎と妻 智恵子の愛の詩集『智恵子抄』が何年かぶりにテレビ化されるとします（『智恵子抄』とは詩人の高村光太郎と、その妻で精神を病んでしまった智恵子との愛の物語として、何度もドラマ化、舞台化されてます）。

「東京には空が無い」という痛切なつぶやきを含む高村光太郎の「あどけない話」という有名な詩があります。

この詩を抜粋して、テレビドラマの番組宣伝用ポスターをあなたがデザインすることになったとしましょう。

「智恵子は東京に空が無いといふ、
ほんとの空が見たいといふ。
私は驚いて空を見る。」（『高村光太郎詩集』２００４年、岩波文庫）

私は驚いて空を見る。

私は驚いて空を見る。

私は驚いて空を見る。

言葉をどう読ませたいか、で使うフォントは変わります

この詩の良さを効果的に伝えるためにあなたはどんなフォントを選ぶでしょうか。

余白を生かして使うと効果的で、一見すると普通だけど、少し幼なさがある詩の言葉のひびきを強調するために、こぶりなゴシックにしてみるのもいいかもしれません。

それよりも「社会派的な作品になるはずだ!」と監督やプロデューサーが言っていたなら、あえて、「毎日新聞明朝」でいってみようか……。

でもやはり、毎日新聞明朝は元々新聞のフォントだから硬派すぎるでしょうか。

じゃあ、時代性を考えてレトロな雰囲気

のフォーク体なんてどうでしょう。

いやいや、昔の話でなく現代に置き換えた今っぽい『智恵子抄』の話だというコンセプトならば、現代性を感じさせながらも絶妙にニュートラルなニュアンスを出せるＡＸＩＳ fontなんていいかもしれません。などなど、いくつも考えられますね。

このように伝えたいこと（意味）によって、使用するフォント（形）は変わっていきます。

伝えたいイメージが一番強く伝わるよう、フォント、書体つまり書の体、意味を表すためのフォルム（形）が選ばれるのです。

この流れは、どう考えても、デザインそのものです。

コンセプトを伝えるために、色を選び、レイアウトを工夫し、バランスを崩して、コントラストをつけて……、そしてフォントを選んで、見る人に問う。この一連の流れが何かを「デザインする」という行為そのものだと思うんですね。

そしてまた、フォントの構成要素の「形と意味」とは「感性と論理性」と言い換えることもできるように思うんです。

フォントの使いかたが上手いデザイナーは、「論理性」だけでなく「感性」も鋭いのではないでしょうか。

「フォント」について考えていくと「デザインそのもの」を考えざるを得ない、と言ったのはこういう部分です。

フォントを選ぶとき、デザインをよりよいものにしたいと悩むとき、デザイナーの考えや思いは「形（感性）と意味（論理性）の間」を行ったり来たりします。

デザインとは「感性」と「論理性」の間にかかる橋のようなものである。

デザインを説明しろ、と言われてぼくはこんな例えをしたことがあります。ある程度デザインについて深く考えたことのある人でしたら、この例えを理解してくれるかもしれません。

フォントについての本質的な部分を説明しようとするときにも、この「感性と論理性の間の橋」という例えはぴったりくるような気がします。

Column

お楽しみノートづくり

「デザインを学びたい」と思ったときに「入り口」として「スクラップブック作り」は最適な方法かもしれません。

なんとなくスクラップブックを作っているうちに、いつの間にかデザインの世界へ踏みこんでいました！　くらいの気軽さではじめられるからです。

スクラップブックは誰かに見せたり、ダメ出しをもらう必要もありません。自分が気に入ればよいのです。

とにかく街に出てもらえる無料の素材や、安い雑誌の一部を切り抜いて、お気に入りのノートに貼ってみましょう。少しでもかっこよく見えるように貼りかたを工夫します。

そして「なぜ自分がその素材を選んだのか?」を考えてみるのです。そんな風にあなたが気に入ったデザインの切れ端を貼っていくうちに、いつの間にかコラージュ作品ができあがっているかもしれません。

力まず、インプット→アウトプットの過程を繰り返し、デザインへの一歩踏み出してみましょう。

今回、参考になればと過去にぼくが作ったスクラップブックを載せてみました。

ざっくりとしたテーマは「気になるフォント」ということで、集めた素材の中から、好きなフォントを中心に切り貼りしています。フォントを並べるだけではつまらないので、全体的に動きが出るようにレイアウトしたり、隣同士の色合わせを綺麗に見えるようにしたり、「ひとつの絵」として完成度が上がるように工夫しました。その工夫がデザインの第一歩。

インプットにとどまらず自分のアウトプット作品として楽しんで作り上げていくことで、デザインの練習にもなっていくのです。

カラーで「おたのしみ
ノート」を見たい人は
こちらから。

（66ページより）

目の前にあるものを
そのまま描き出す力（デッサン力）を
持っていない人間が、

目の前にないものを想像で
描けることはまずあり得ない、
ということなんです。

デッサンと描写力

Part 2

デッサン力はデザインに必要か

先日、とある学生さんから、**「webデザインをするのになんでデッサンが必要なんですか？」**と真正面から質問されました。

これは、普遍的ないい質問です。

大昔、自分も同じ疑問を持ちましたし、美大でのデッサンの授業のときに「美大予備校でさんざんデッサン描いてきたのにまだデッサンやるのかよ」とぶつぶつと言ってましたからね。

やりたいのはグラフィックデザインだというのに、「デッサンなんて今さら必要ないでしょう」と思うのは、筋が通っているようにも聞こえます。

実際、描写が必要な油絵科や日本画科専攻のように、直接に必要なスキルではないように思えます。たしかにwebデザイナーは毎日絵を描かないですし、正直な話、絵が下手な人もたくさんいると思います。しかし、絵が描けないとしてもデッサン力は必要なんです。

さて、ここで少し整理しておきましょう。

デッサン、デッサン、と言ってますが、「デッサン」という言葉の意味するところは少なからず曖昧ですし、スケッチとデッサンをごちゃごちゃに理解している人もいるようなので、ここで一度「デッサンとは何か？」を定義してみましょう。

「デッサン」とは、目の前にあるものをそのまま紙面に描きだすことです。

つまり、デッサン力のある・なしって、見えるもの（つまり絵に描くモチーフ）をそのまま表現できるかどうかということなんですね。

その際に必要なのは、鉛筆の使いかたが上手いとかそういうテクニックなことではなく、描く人が描く対象をものとしてきちんと理解しているかという能力のことです。それさえきちんと持っていれば、鉛筆やら木炭の使いかた、タッチの美しさなんて実は重要なことでもありません。

頭（意識）でデッサンの本質を理解してモチーフを正しく追っかけていれば、手（描く技術）なんて後からついてくるものですし、気がついたら上手く描けているものです。

「観察力」こそがすべてであり、「デッサン力」は「観察力」から生まれると言っていいくらいです。

いずれにせよ「デッサン力＝目の前にあるものをそのまま紙面に描き出す力」という理解で間違いないので、覚えておいてください。

では、なぜwebデザイナーにデッサン力が必要なのかと言えば、ひとつはwebデザインをしているなかで「目の前にないもの」をビジュアル化しなければならない場面がよくあるからです。

つまり、目の前にあるものをそのまま描き出す力（デッサン力）を持っていない人間が、目の前にないものを想像で描けることはまずあり得ない、ということなんです。

具体例としてwebデザインの現場でよくありそうなお仕事のケースを紹介していきます。

例えば、「リトルバード・フォトスタジオ」なんて会社があり、あなたのデザイン事務所に「ロゴマークを作ってくれないか」という依頼が来たとしますね。「社名がリトルバードだから、鳥をロゴマークにしてもらいたいんだ」クライアントはそんな風に言ったりします。あなたは、慌てて図書館に行き、図鑑で鳥の写真を探したり、ネットで画像を探します。

探してきた画像をそのままロゴマークに使えるわけではないので、デフォルメしないといけませんよね、そこであなたは考えます。

「どの部分を残したら、あるいは強調したら鳥らしく見えるだろう」と。

そんなときに、あなたを助けてくれるのが「デッサン力」なのです。

デッサンとは観察力でもありますから、**デッサン力があるデザイナーのほうが、鳥らしいマークを作ることができます。** 鳥のモチーフをデッサンした経験が多いとか、そういうことではありません。生き物の筋肉とか立ち姿・骨格を観察し意識して描くことができるかどうか、モチーフの特徴をきちんと捉えてどこを削るのか、反対に省略してはいけないポイントは何か、ということを見極めて選択していくには、本当の意味でのデッサン力を持っている必要があるわけです。

「鳥・とり・トリ」言葉でも印象は変わりますね。さて、どう表現する？

「このからだの線を捉えて描かないと鳥には見えない！」

「この反り返った羽を強調しよう！」

このようにいちいち言葉にしなくても、無意識の観察力やデッサン力がデザインのクオリティを下支えするのです。


もちろん、デッサンがデザインに必要な理由はこれだけではありません。デッサンを描くということ自体、ひとつの作品を作るということなので、当然レイアウトのバランスをとる訓練にもなります。

静物デッサンでいくつかのモチーフ、例えばビール瓶とサツマイモとレンガを描くときに、実際はサツマイモが奥にあるのに画面の中で手前に持ってくることがあります。つまり、実際に台座に乗ったモチーフの位置と画面の中のモチーフのレイアウトを描き手が変えてるわけですね。これなどはまさにデザインするときに画面に入れたい要素の位置を決めてレイアウトしていく作業そのもので、その意味で言えば「デッサン」という作業は「デザインの予行演習」でもあります。

ですから「デッサンばっかりでいつになったらデザインの練習ができるんだろう」という美大予備校生のぼやきは根本的に間違っていて、デッサンが上手い人はレイアウトの訓練もできていることが多いわけです。

これはグラフィックデザイン（webデザイン）の現場での一場面の例ですが、プロダクツデザインであなたが車をデザインするとき、まず頭の中でイメージし、紙の上でそのイメージをビジュアル化して「（イメージした物が）本当に立体化できるのか」「立体化したときに美しいか」「すぐに壊れそうなものではないか」を確認しないといけません。

イメージをビジュアライズ化する力、その助けになるのも「デッサン力」です。想像力だけあったとしても、それだけだとビジュアル化などできないのです。まだあなたの頭の中にしかないイメージを描くためには、目の前のものをそのまま描くことができる力が必要です。デッサン力がイメージの具現化へとつながっていくわけです。

アプリケーションソフトが最終的にあなたのイメージをビジュアライズ化してくれるとしても、その前にデッサン力を使ってあなたのイメージがデザインとして成り立つよう、頭の中から描き出さないとならないのです。

では、アパレルデザインはどうでしょう。

服は立体的なモノで最終的に人が着るものです。

人間が本当に着やすいものを作っているのか？　を判断するのはデザイナーであるあなたです。人体デッサンをある程度こなした経験があれば、どういうデザインにすれば身体の曲線に沿った着やすいものになるかということをイメージして、スケッチとして描きあげることができます。

最終的に技術的なことをパタンナーが決めてくれるでしょうが、デザイナーがデザインをするときに、デッサン力がなければ、まちがいなくアウトです。

頭で描いていることを人に伝えることそのものに、デッサン力が問われてくるのです。

さて、ここまで読んでいると、もう答えは出ていますよね。

デッサン力はwebデザインどころかあらゆるデザインに必要なスキルだということです。

しかし、そのスキルを手に入れるためにどうしても美大や専門学校に行かなければならないわけではありません。日常生活を送りながらでもそのスキルを手に入れる方法は結構あるものです。その方法については、この後で説明させてください。

その前に、日頃目にしているデザインやコンテンツで、デッサン力・描写力というものがどれだけ作品の表現力をあげているかについてお話ししていこうと思います。

ドラマの中の描写力

デザインの中でのデッサン力は、表現力や説得力となり、作品のクオリティをあげてくれます。

例えばテレビドラマの世界で、リアリティのあるビジュアルを表現することで作品自体の説得力が上がり、よりその世界観に入っていけるときがありますよね。

デザインでもそれは同じことで、デッサン力を元にした「描写力」の有無によってユーザーはデザインに対して自分が見る価値があるかどうか無意識に決めているのです。

少し前の話ですが、大河ドラマで「龍馬伝」という作品がありました。大河ドラマは普通のドラマとは美術にかけているお金が一桁違うと言われるだけあって、クオリティの高い作品が多いものですが、「龍馬伝」はそれまでの大河ドラマのさらに一段上のビジュアルを作り上げたと、話題になりました。

「龍馬伝」では、幕末時代の「土ぼこり」を表現するために、「コーンスターチ」というトウモロコシから作った白い粉を、主演の福山雅治さんはじめ出演者全員に振りかけ、俳優が動くたびに、砂埃が画面に飛ぶようにして効果的なビジュアルを生み出すことに成功していました。

本当のところ、これほどこの時代の日本が埃っぽかったか、わからないところもあるので、もしかしたら演出としてやりすぎなのかもしれません。

しかし、「あの時代の舗装されていない道ってこんな感じだったかも」という説得力が画面からじわじわと伝わってきていました。そしてその「説得力」はドラマ全体につながって、作品自体のクオリティを引き上げ、視聴者を惹きつけていたのです。

ドラマも映画もひとつの画を作るという部分では、デザインやアートと同じです。

目指しているのは「画面全体でどれだけ説得力をあげるのか」ということだと思います。

「絵としての説得力」を上げるために、実際に絵筆を握れない監督は、美術や俳優の演技、小道具にまでこだわりぬいて「画面」の「表現力」をあげ、画面に説得力を出すのです。

逆に言えば、デザイナーは映画監督と違い（グラフィックソフトを媒介にしてですが）、実際に絵として描くことができるわけですから、描写力のあるなしでデザイナーとしてのクオリティを問われるわけです。

描写力をあげる方法

ひとつ思い出したのですが、描写力の必要性について、よく同じような質問を何人もの読者からいただきます。

「フラットデザイン」がトレンドになってきて、描きこみが少なく、シンプルなビジュアルが好まれる現代において、「描写力」はデザイナーにとってさほど重要なスキルではないのではないか？　という質問です。

たしかに最近は結構シンプルなものが好まれていて、作りこまれた（描きこまれた）ビジュアルは少ない傾向があるので、トレンド的なことを考えれば、このような疑問が浮かぶのも自然なことかもしれません。

しかし、シンプルなビジュアルというのは、逆に言えば、少ない手数できちんとリアリティを出さなくてはいけないと言うことです。

例えば、2つか3つのポイントをおさえて、きちんと表現しないといけないということは、たくさんのポイントを積み重ねていくやりかたよりも、数段上の実力が必要になるとも言えるのです。少ないポイントを失敗した場合、ビジュアルのリアリティは確実に失われるわけですから。

さて、すこし話が逸れましたが、「描写力をあげるために」具体的に何をすればいいのかというお話をします。

観察力を上げて描写力をつける

一番いいのは、もちろん「デッサン」をすることです。

デッサンとは「目の前のものをそのまま描く」ということですから、「描写力」をあげるためには一番いい方法です。

「描写力をあげるために近くの美大予備校に通って、1年間デッサンの勉強をしてきてください！」こういう風に言ってしまうのが一番手っ取り早いわけですが、すでにデザインの仕事をしている人には、かなり難しい方法ですよね。

社会人にもできる、現実的で効率のいい方法を考えると**「とにかく観察力を高める」**ことが一番の近道だと思います。

でも、日常生活の中で、目にするモノすべてを観察していくなんて無理ですので、例えばデッサンでよく描くようなモチーフの中から「果物」「茶碗やコーヒーカップ」とかその日ごとに対象を決めて、10分程度でいいのでじっくりと観察することをオススメします。

「観察」って言われても、どこを見ればいいのかわからないと思うので、画材屋さんで売っているようなデッサンの専門書など見て「それぞれのモチーフの描きどころ」を意識し、**「実際に自分でそのモチーフを描くつもり」で観察していきます。**

例えば果物などで言えば、形のはっている部分（感覚的に言えば生命力が宿っていそうな〝張り〟を感じるポイント）が必ずどこかにあるので、そこを見ていく感じです。

コツとしては、観察する対象（モチーフ）の質感や重さについて、「なんとなくこうなっているだろう」で済ませずにモチーフを触ったり、重さを確かめたりして、きちんと観察する、ということです。

みかんとリンゴは当然、質感や重さは全然違うと思いますが、それを最低限言葉にできるくらいは観察し、自分の中で咀嚼してみてください。

場合によっては本当に言葉にしてみてもいいかもしれません。

みかんの色は黄色だけどところどころ黄緑で、質感はでこぼこしていて、触ってみると思ったよりも硬い……とか。言葉が正確かどうかではなく、言葉にすることで、観察の精度があがるからです。

モチーフが例えば電化製品、新商品のカメラだったりすると、パッと見ただけで質感がわからないものなどありますよね。

「描く気になって観察する」というのは、そういうわからない部分を、わからないままにせずに、実際に触ってみたり、どんな質感なのかがわかるまで「見る、理解する」ということなんですね。

デッサンの勉強をしているときに講師によく言われたのは、**「3次元のものを2次元に描き写す＝デッサン、であるなら相当無理なことをしているわけだから、絵を描いている人間は描いているものや空間を完全に理解していないといけないはず」**という言葉です。

「質感や重さだけでなく立体としてどういう形になっているか？・」

「モチーフの特徴はどこか？　例えばロゴマークのデザインをするためにどうしても描かないとならないポイントをどう絞って描くのか？」とか、そういうことを意識して観察する訓練です。

そういう意識の観察を続けると、今まで自分がどれくらい周りのものをきちんと見ていなかったかに気がつくと思います。そこまで考えられればしめたもので、実際に鉛筆を使わずにあなたはかなりのデッサン力を獲得したことになるわけです。

デッサン力は描写力・表現力となって、結果的にあなたのデザインには説得力が生まれます。

さきほど触れたように、最近（２０２０年12月現在）のトレンドで、シンプルにまとめられたデザインが世間的に好まれているため、それほど描写力は重視されていないように思います。

シンプルなパターンのｗｅｂサイトのトップページのデザインだけなら、使用する写真のクオリティが高かったり配色のセンスがいいだけで、成功してしまうこともあります。

しかし、例えば「トップページデザインだけでなくクライアントの会社のロゴマークもデザインしてみようか」という話になると、デッサン力がないデザイナーは抽象的なデザインしか選択肢がなくなり、提出できるデザインのパターンがかなり限られてしまうはずです。

またトップページで使える写真がまったくないので、それに代わるビジュアルを用意することになったとき、デッサン力がなく絵が作れない、素材を組み合わせるだけしかできないようなデザイナーは手も足も出なくなります。

コラージュのように、何かのビジュアルを作り上げるにしてもデッサン力の有無によって、でき上がるビジュアルのクオリティに大きな差が出るはずです。デッサン力のあるデザイナーのほうがそうでないデザイナーに比べて一つの絵を作り上げる力が上であることは言うまでもないことです。


デザイナーとして自分の中に引き出しを増やす、というよりは**「観察力を元にしたデッサン力」を持っていることで、あなたの作品のクオリティは一段も二段も上がる**ので、今までデッサンというものに無縁で描写力に自信がない人は、ここでご説明した「観察力を高めて描写力を上げる方法」を意識してやってみてください。

またノンデザイナーの人も、この方法を実践することで「ものの見方」が変わり、別角度から世界を見る感覚が手に入ったりします。

あたらしい視点を獲得し、思考を深める方法として試してみてはいかがでしょうか。

デッサンは「手」じゃなくて「頭」で描く

もしかすると、世間の大多数の認識は、「デッサンが描ける人はひたすら手先が器用で鉛筆の走らせかたも一般の人とは違うんだろう」と思っているかもしれません。

でも上達において一番大切なことは、「描くときの意識を根本的に変える」ことにあります。

そう、デッサンは手ではなく頭(意識)で描くのです。

そういったデッサンの本質を理解していただくために、非常に効果がある方法もご紹介しておきましょう。

この方法は実際にやろうとすると結構面倒なのですが、やり方を聞いてシミュレーションするだけでもデッサンに対して「深い部分での気づき」があり、まさに手ではなく頭で絵を描くということが、腹に落ちるようにわかるかと思います（実際、メルマガで紹介したところ、読者さんからたくさんの反響があったテーマです）。

その方法とは、**「モチーフをそのまま粘土で立体として作ってしまう」**というものです。

そう、デッサンもせずに、モチーフをそのまま立体で作ってしまうんです。

「げっ！　面倒くさい！　しかも難しそう」と思ったでしょう。同感です（笑）。

東京芸大の入学試験の立体という科目で粘土を使用したんですが、ぼく自身苦手だったことを告白いたします。

ただこの方法、**一回でもやってみると「デッサンで大事なのはモチーフを見る目、観察力なんだ」ということが身に染みてわかるんです。**そして、今まで自分がいかにモチーフを見

作ったり、触ったりして、モチーフをじっくり確かめる

ていなかったか、観察できていなかったか、に気がつくのです。

立体でモチーフを作るためには、当たり前ですがモチーフの裏側がどうなっているのかを理解していないと作れませんし、質感を出すためにモチーフを触ってみたりすることになります。

例えばレモンを粘土で作る場合、表面の凸凹がどのくらいなのか、意識して作らざるを得ません。自然とレモンを触ってその凸凹を確かめると思います。

立体にするためにその凸凹の大きさ、具合を表現しなければならない、という意味では、作成するものが平面でも立体でも同じことです。いや、むしろ立体のモチーフを平面に描き写す、3次元を2次元に変換するということのほうがよほど無理のあることです。

立体を作るときの意識と、普通にデッサンを描くときの意識と比べてみてください。立体で作るときのほうが一歩踏みこんだ観察力と集中力でモチーフと向き合っていることに気がつきませんか。**モチーフの裏側がどうなっているか、きちんと把握しないと、立体として作りあげることができないからです。**普通にデッサンしているときも、立体を作るような気持ちでモチーフを向かいあっていけば、一段高いレベルのデッサン力を手に入れるきっかけになるはずです。

「そもそもデッサンって何か」をおさらいしてみましょう。

デッサンとは、「目の前のモチーフをそのまま描き写すこと」です。ですから、デッサンが上手くなるためのヒントは、モチーフそのものをどれだけきちんと観察できるかにかかっています。

モチーフを立体にすることは、「観察力を手に入れる」究極的なレッスンです。

まずは、描き手であるぼくらが、「モチーフは立体である」という当たり前のことを強烈に意識するためにやるのです。描くモチーフが、石膏であれ、りんごであれ、アニメのフィギュアであれ、仲のいい友だちであれ、なんであれ、すべて立体です！

紙の中にあるものを描き写しているわけではなく、「3次元の世界のもの」を描こうとしています。つまり、3次元のものを2次元の平面の中に封じこめるという、とても強引な嘘をつくことになるのですね。

当たり前じゃないの、と思うかもしれませんが、デッサンを描くとき、紙の上に、なんとなく鉛筆をすべらせれば、例えモチーフの裏側がどうなっているかを描き手が理解しなくてもとりあえず絵として完成してしまうことに気がつくとこの当たり前の意識が、すこんと抜けてしまったりするのです。ぼくらが描く場所は紙の中の2次元であり、描く対象が3次元の空間にある立体物だという事実を忘れてしまいがちです。

では、具体的に粘土でモチーフを立体化する際、あなたは何を見ようとするでしょうか。

まずモチーフには、こちら側からは見えない裏側があるということに、そしてモチーフによって質感や重量それぞれ違うことに気がつくでしょう。

「立体化する」ために、強制的にモチーフが「立体物」であることを理解しなければならないのです。

これが非常に重要なポイントで、おおげさなようですが、今までと違うレベルの観察力を手に入れることになります。

そういう風にして、とにもかくにも一度、粘度でモチーフを立体化できたなら、その後でデッサンをするときには、「モチーフを立体に作ったときのような意識」で観察して描いてください。

実際には、粘土で最後まで作るのは難しいでしょう。もちろん詳細につくれれば、すごい勉強になるのですが、無理なら作りはじめだけでもやってみてもらえればと思います。

あるいは最悪、**「立体にするとしたら」とリアルに時間をかけてイメージしてみるだけで、**かなりデッサンの出来が変わってくるでしょう。「自分が描くものは立体物である」と意識が変わるだけで、デッサン力は根底から変わってくるのです。

繰り返しになりますが、デッサンを描くということを単に鉛筆を走らせるだけだと考えないように注意しましょう。みずからの手でもう一度立体に作り上げるような気持ちで、紙の上（2次元）に、3次元のモチーフを定着させるように自分の意識を変えて描いてみましょう。

これで、あなたの描くデッサンはは驚くほど変わってくるはずです。
デッサンは紙の上で完成するのではなく、あなたの頭の中で、意識の中で作られるのです。

見方を変える（さかさまに見る）

ぼくは、美大予備校で短期間だけ講師のお手伝いをしていたことがあります。そのときに、先輩講師と実践した方法で、何人もの生徒が短期間でデッサンの上達に成功した、なかなかいい方法がありました。

思いこみを取り払い、「形」として見る
（さかさまにしてしまって、ベートーベンさん、すみません）

それは「モチーフをさかさまにしてデッサンをする」という方法です。

実際のモチーフはさかさまにはできないので、モチーフを写した写真をさかさまにおいてそれを見ながらデッサンをするのです。

モチーフは何でもいいのですが、誰もが知っている人物にしてみましょう。

例えば「ベートーベン」(左)。

……しばらく見てください。

このとき、このイラストを見ているあなたの頭の中で、どんな思いが浮かんでいるでしょうか。

「ベートーベンって、いつも音楽室で生

徒を睨みつけてた人だな」とか「運命」という曲のフレーズが浮かんだりとか、「晩年、聴覚がなくなって大変だっただろうな」とか考えるかもしれません。これらすべて「ベートーベン」という人の印象や持っていた先入観からあなたが受け取っている情報です。

しかし、デッサンで「ベートーベン」を描こうとするとき、描き手にとってそれらの情報や知識はすべて無駄な情報となります。なぜならそれらの情報はすべて「ベートーベン」に対する、あなたの「先入観」で、ベートーベンを「カタチ」として描こうとするときにはむしろ邪魔な情報となってしまうんですね。すべてあなたの左脳で記憶し、整理しているベートーベンだからです。

デッサンを描こうとするならそのような先入観は無用で、純粋に形を追いかけていく右脳的な情報のほうが必要なのです。

はじめてこの人を見る、いや、はじめて「カタチ」を見る態度で描いていったほうが、デッサンは上手くなります。

ではここでさかさまにした「ベートーベン」(右) のイラストを見てください。どうでしょう？　さかさまにしてもベートーベンはベートーベンだということがなんとなくわかります。しかしながら、普通に見てるときと比べれば、目を描こうすると「ベートーベン」という偉大なアイコンの情報に乱されることなく**「純粋にひとりの人間の目の形」**を、追いかけられそうではないでしょうか？

そう、さかさまにしただけで、ベートーベンという人に対する情報や先入観はかなりシャットアウトされ、その結果、カタチとしての認識しかできなくなるんです。

こうなればしめたもので「右脳的・デッサン的描写力」を全開にせざるを得ない状態になるのです。

できれば、途中で写真を元に戻さずに最後まで描き切ってください。「形だけを追う、目の前のものを描くだけ」という集中状態を一度でもいいので経験してもらいたいのです。

人によっては普段見慣れているものをさかさまに見ているために気分が悪くなってしまう場合もあるので、そんなときは無理をしないで写真を元に戻してください。

最終的に絵を描くためには、左脳的感覚も右脳的感覚もどちらも大事です。しかし描写をする際には、普段社会生活をおくるうえで活躍する左脳的感覚と反対の「右脳的感覚」でモチーフを見てあげないといけません。

多分、意識してやってみるとかなり疲れてしまうと思いますが、それだけぼくらは「これはこうなっている」という思いこみというか先入観の力で、目の前のものを見ているということです。

もし、デッサンでつまずいている人や人物を描くとマンガっぽい似顔絵になってしまうという人は、試してみてください。

ただ、さかさまにして描いたからといって、いきなりデッサンが上手くなるわけではありません。何を描いているのかわからずに描くことで、逆に今まで普通に描いていたときにはできたことが封じられて「ものすごく下手」に描けてしまう場合もあります。

ここでは、**目の前のモチーフを「なんだかわからないはじめて見るもの」としてみなさんに感じ、描いてもらいたい**ということでした。

実際は、目の前に立体のモチーフを置いて描くときに、立体のモチーフをさかさまにすることも自分が逆立ちしながら描くこともできないので（笑）、デッサンの入試試験などでは100％実現不可能です。意識を変えるために試して欲しい効果的な方法としてご紹介しました。

これに近いやりかたで、自分の描いたデッサンをさかさまにしてチェックする方法があります。**さかさまに自分のデッサンを見てみると「カタチが正確でないとき」には、すぐにわかります。**上手く文章では伝えられないのですが、画面全体の中で、カタチが狂っているところだけ目立って見えてくるので、すぐにどこがデッサン的におかしいのかわかったりします。これも右脳的感覚でものをチェックしているからできることかと思います。

ちなみにこの方法は、テクニックとして教えてもらったわけでもないのに、まるで部活で先輩から後輩へと説明もなく伝わっていく伝統的なしきたりのように、美大予備校内で自然に（先輩から後輩に）伝わっていて、ほとんど当たり前のようにみんながやっていたものでした。

不自然なところが見えてきたら、すぐに画板を元に戻して描き直し、またさかさまにしてチェックして、また戻して描き直す……と、修正を繰り返すのですね。

それくらいに「自分たちの描くデッサンって狂っているものだ」と思っていたほうがいいですし、とことん自分の目を疑って修正していくことが大事ですね。

美大予備校でデッサンばかり描きまくっていたころ、友人がぼそっと言いました。

「デッサンって描くことの練習ではなくて、自分が作ったものを自分ひとりで見直して、間違いを修正するための訓練だよね」

この言葉は、今でもよく思い出します。

「デッサンがデザインにおいてどんな役割を担っているのか?」という質問の「ひとつの答え」になっている気がします。

「デッサンとは自分の目を疑うことなり」という言葉を心に留めておきましょう。

7分だけのデザイン勉強法

ぼくが若い頃、師匠のような存在だったある人から「デザインが上手くなる、とっておきの方法があるよ」と言われ、手取り足取り教わったことがあります。

非常にアナログで地味なのですが、デジタルの時代だからこそ、貴重な方法のような気がしています。

まあ「方法」というほど大げさな手順でもないですが、３ステップに分けるとこうです。

① 参考にしたいデザインを見つける

② グリッド（方眼）の入ったノートを用意する

③ ノートにデザインをペンで描き写す

これを7分間でやってみる。これだけです。つまりは7分程度の短い時間で、ペンを使って正確に、自分が素晴らしいと思ったデザインを描き写しなさい、ということです。

ひとつ注意してもらいたいポイントがあります。

そう、**「できるだけ元のデザインを正確に描き写す」**ということです。

「どれだけ正確に描けるか」については数値化できるものでもないので、描き手の意識と気合いにゆだねられます。ですので7分間、できるだけ集中して、元の絵を見ていない人にスケッチを見せても、なんとなく想像ができるくらいの完成度を目指してください。

簡単に言いましたが、これがなかなか難しいです。

教えてくださった方は、当時ディズニーランドのポスターを描いていて、デザイナーである前に超一流のイラストレーターでしたので、デッサンの訓練という意味もあったのでしょう。

短時間ではありますが、ラフを描くくらいの時間をかけながら、当事者であるかのように、そのデザインに入りこんで、レイアウトや配色などを体験していくことが、この上達法の肝なんですね。

デザインをそのままスケッチするためには、きちんとデザインを観察して理解することが求められます。元のデザインはカラーでしょうが、白黒でスケッチをしますので、明度差やコントラストを考えて描き写さないとなりません。

元のデザインをそのまま描き写せているか確かめるために、その人は自分が描いたスケッチと元のデザインを誰かに見比べてもらい、うまく再現できているか意見してもらうそうです。

7分という短い時間内で、元のデザインのいいところをすべて吸収するべく模写するのです。グリッドノート（方眼紙）を持ち歩き、少しでも時間があいたら、やってみてください。

適当ではなく、余白の間隔や元のデザインで使われたフォントの種類がわかるまで、きちんと描き写します。時間も**7分と決めたら「7分以内」、自分で時間を決めて実行する**のです。

時間を決めて描くと、だらだらする時間はないので、描き写すデザインのポイントを掴んで描くようになります。

そのポイントとは、「デザインの肝」みたいなものです。

「あ、ここまで左右の余白を取ってるんだ、思いきってるな～」とか「濃い色をふんだんに使ってるな」とか「画面要素を大胆に傾けてレイアウトしているから、動きが出るんだ」とか、そういったことが「デザインの肝」です。

プロの「余白の取りかた」や「バランス」がわかる練習法です

グリッドノートを使う理由は、真っ直ぐの線を描きやすい、というのもありますが、余白であったり、それぞれのレイアウト要素を正確な大きさで描き写しやすいということがあげられます。

デザインをスケッチするとき、どうしても適当になってしまうのが、サイズ感です。画面余白も無地のノートに描き写すと、すごくせまい余白で描き写してしまったりするものです。

ですからサイズ感をきちんと意識するときには、グリッドで計りながら描き写すことが必要でしょう。

もちろん、慣れてくれば、そのサイズ感も瞬時に掴んで正確に描き写すことも可能ですが、しばらくはグリッドノートでスケッチすると、決めたほうがいいと思います。

よいデザインを描き写すことは、デザインについて頭だけでなく、手も動かしながら考えることになります。

ノンデザイナーでこの方法を試したい人やデザイナーでも画力を上げるよりもデザインエッセンスを手っ取り早く学んでいきたい人は、トレーシングペーパーで元の絵を写しちゃってもいいでしょう。

グリッドノートに一から描いていくと描写力も鍛えられますが、描き慣れていないと絵にするだけで時間がかかって、いちいちイヤになって続かなくなる、なんてこともあるかと思います。どちらかと言えば、**細かい描写力よりもデザイン全体のレイアウトについての勉強法**なので、トレーシングペーパーなら、手をつけやすいかもしれません。

そのとき、なるべくグリッドの入ったタイプのもの「方眼トレーシングペーパー」を使ったほうがいいでしょう。

この方法も、手を動かすということが重要です。

大学受験のとき「参考書は一冊に決めて、何回もその参考書を読んで覚えられるくらいにしなさい」と教師に言われたりもしましたし、大事なことは時々ノートに書き写して、頭に叩きこむようにしてました。

おもしろいことに文章でも手を動かして書き写している中で、「あ、作者が伝えたかったのはそういうことか」とあらためて深く腹に落ちることがありました。原理的にはこの経験と似たものがあるかもしれません。

ちなみに7分というのも「絶対」ではありません。

7分という時間で終わらないのであれば10分にするなど、それぞれ合う時間を設定していただければと思います。

ただ経験上、今日は15分かけて描くけど次の日は7分で描く、とやっていくと毎回クオリティにもばらつきが出てきますし、どこまで描きこむか適当になっていくと思いますので、決めたらいつも同じ時間内で描くようにした方がいいようです。

相当に深いところで、よいデザインのポイントがわかるようになりますので、やってみてください。

「ひとつのお願い」

昔、イラストのお仕事も少しだけしていた頃、イラストの学校に通ったことがあります。ご存知の方も多いかと思いますけど、「パレットクラブ」というイラストスクールで、そうそうたる現役のイラストレーターさん（当時は安西水丸さん、原田治さん、奈良美智さんクラスの方々がいました）が講師として話をしてくれたり、プロがぼくたち生徒の絵を見てくれたので、もう喜々として、学校に通っていました。

毎回、お話を聞けるだけでもありがたいと思い、仕事が忙しかったにもかかわらず、毎週銀座に通っていました。その後、イラストの仕事はやめてデザインの仕事に絞りましたが、この学校での経験はデザインをするうえでもとても役に立ちました。

授業はどれも素晴らしいものだったのですが、その中でも個人的に一番印象的だったのはHさんの授業でした。

Hさんは、イラストレーターの登竜門的な賞である「ザ・チョイス」で賞を獲ったことをきっかけに、どんどんメジャーになった有名なイラストレーター兼デザイナーの方です。「ザ・チョイス」というイラストレーターの登竜門のような賞に何十回落ちてもめげることなく作品を出し続け、最終的に入賞したなど、様々な伝説があります。

そういうすごい方の経験談を聞くだけでも、おもしろくて勉強になったのですが、一番ぼくが心に残ったのは、授業がそろそろ終ろうかというとき、Hさんがついでのようにお話してくれた「ひとつのお願い」でした。

ぼくが覚えている限りで再現してみますね。

「きょうはみなさん、ありがとうございました。

もう、そろそろ授業を終わりますが、

ここでみなさんに、最後にぼくからたったひとつだけ、お願いをしたいのです。

これからですね、お家に帰ってから、一枚でいいので、絵を描いてください。

そういうお願いです。

それだけ、ぼくからみなさんにお願いしたいのです。

今、夜の10時。みなさん、遠くからこの銀座へ来られている方もいらっしゃると思います。何時にみなさんが帰れるのか、ちょっとぼくにはわかりません。

時間的にキツかったら、イラストではなくノートの端の落書きみたいなスケッチでもいいので、一枚だけ絵を描いてください。

お願いというのは、それだけです。ぼくも帰ってから描きます。

まあ、そもそも毎日絵を一枚以上は描いています。

みなさんもぜひ、描いてください。よろしくお願いします。

今日は遅くまでありがとうございました」


「なぜ一日一枚絵を描くのか」、ごちゃごちゃとした説明は一切なく淡々とHさんが話したので、ぼくにはかえって印象的で心に残りました。


Hさんが、なぜこんなお願いをぼくらにしたのか？

ここからは、あくまでぼくの推測ですけど、Hさんはプロとしての自分の日課をお話しして、「あなたたちもぼくと同じことをしますか？　プロの世界へ踏み出す準備はできていますか？」ということを話してくれたのだと思います。

もしかしたらそんなに意味深くとる必要はなく、「毎日描こうよ！」と、さらりと言いたかっただけなのかもしれません。

物腰が柔らかく、学生に真摯な態度のHさんの言葉は、押しつけがましいところがひとつもなかったので、「ただの連絡事項のひとつ」くらいにしか受け取らなかった人もいたかもしれません。

ぼくとしては、とにかくHさんが毎日描いていることにまず驚きました（そしてそれに驚いている自分にも驚きました。なんというか、自分の甘さに驚いたのですね）。

今思えば、何かのゴールがあるわけでもなく、絵が好きで上手くなりたければ、描き続けるのは当然であって、そういう人だからプロであり続けることができるのだと自然に解釈できる言葉でした。

ですから、ぼくは馬鹿正直に、帰り道のロイホで数人の友人と明け方まで絵を描きました。

単純に「プロの人が毎日描いているなら、アマチュアのぼくたちが描かないと！」と思ったのです。その日は金曜だったし、まあ友人と喋るのがおもしろかったということもあったのですが、ぼくの提案を断る友人はいませんでした。

後日、クラスのみんなに、あの日Hさんの呼びかけ通り絵を描いたのかと聞いてみました（あの日から毎日ではなくあの日だけ絵を描いたかどうか、です）。

クラスの半分の人が絵のようなものを描いた、ということでした。

絵を描くという学校で多い数字なのか少ないのかわかりません。もしかしたら多いのかもしれません。しかし、プロの人から見たら「わざわざ講師がお願いしたのに、わりとみんな描かないものだね」というのが本音かもしれません。

少なくとも、**ばりばりプロのクリエイターであるHさんが毎日描いているとして、これからプロを目指す人たちが一枚も描いていないのなら、その差は永久に縮まらないでしょう。**単純に言うと、何キロも先を自分よりも早いスピードで歩いている人に追いつくことはないはずですから。

Hさんは、次の授業で、あの日みんなが描いたかどうか確かめることもしませんでした。ただ忘れているのかとも思いましたが、なんとなくわざと確認しなかったような気がしました。

Hさんのその問いかけは、未だにぼくの心から離れることがありません。

ぼくもプロのはしくれなので、この言葉を思い出すたびに、イラストでもデザインでも、仕事をしながらでも、日々できるだけ練習をしなければ、と気が引き締まります。

当たり前ですけど、毎日の練習ってとても大切です。

なぜデザイナーって練習しないんでしょうか。

練習することはとても大切なことです。

一流を目指すプロのアスリートは練習や勉強を毎日しているものですよね。

練習の話は「やるかやらないか」なので「いいからやれよ！」という論調になってしまい、なんとなく根性論というか精神論っぽくなって、いつも誤解されている気もします。

でも、Hさんのような一流のプロでも、普通に毎日何かを描いているのです。

毎日、仕事の作品とは別のものを描こうと思ってらっしゃるからこそ、第一線で活躍しているという、そんな当たり前のことをぼくも素直に受けとめて、上手くなりたければ自分のスキルを上げるためにプラスになることは何でも愚直にやっていきたいと思います。

デッサンの向こう側

描写力についての話が続いていますが、「デッサンとは何か」「写実の先にあるもの」を考えさせてくれる画家がいます。

その画家とは、「アンドリュー・ワイエス」という人です。

アンドリュー・ワイエスという名前を、ネットの画像検索で探せば、どばーっと、彼の描いた写実絵画が出てきます。

それくらいに有名ですが、デザインを生業にされていない友人に聞いてみると、不思議なくらいにみんな知りません。

美大予備校時代、友人から「おいおい……この人知っているか？」と言われて絵を見せられ、ぼくもそこではじめて知りました。

そのとき、おおげさに言っているのではなく、「ただ現実にある何かを描いただけの写実的絵画に、なんでこんなにショックを受けるんだろう？」と何かに撃たれるような不思議な感覚に陥りました。

「安易な抽象画や意味不明でひとりよがりの現代美術よりも、何倍もの深い感動をあたえてくれるのは、なぜなんだろう」そんな風に感じたんですね。

ワイエスの絵を見た衝撃を、当時親しかった若い予備校講師のKさんに話してみましたところ、Kさんは「デッサン」ということの意味に絡めて話してくれました。

まだまだデッサンが上手く描けていなかったぼくに、まず「デッサン」というものをきちんと理解して、どういうデッサンが一番いいのかを忘れないでくれよ、とそんなことを伝えようとして、熱心に話してくれたことを思い出します。

みなさんもできれば、ワイエスの絵をネットか本で一度見てみてください。

ぼくが覚えている限りで、こんな話をしていました。

Kさん「お前ね、ワイエスは確かにすごいよ。すごいけど、デッサンをきちんと理解して、描けるようになってからワイエスを見ると、もっと勉強になるよ。

お前、デッサンってどういうものか、まず理解しているか？」

ぼく「……」

Kさん「デッサンって目の前のモチーフを、そのまんま写すってことだよね」
ぼく「はい、目に見えるものを描けないやつが、見えないものを描写できませんからね。デッサンはそういう意味で、すごい大事ですよね」
Kさん「(それってオレが昨日言ったことじゃねえか、という顔で睨みながら)そう……。でもさ、モチーフって3次元の世界にあるもんだよね？」
ぼく「……」
Kさん「それを紙の中に描くって、どういうことか、わかる？」
ぼく「……」
Kさん「3次元のものを2次元の紙の中に描くってのは、ある意味、描き手は、大嘘をつかないといけないんだよ。

だから写実、デッサンっていうのは、あらゆる手を使って大嘘をつきまくって、3次元の世界を2次元に表現するわけさ。わかるかな～……。

そこには、ある意味、すごい深い創造性が必要になるんだ！」
ぼく「……」
Kさん「そう、どういうデッサンが一番いいのか？　って良く聞かれるけど、間違いなく一番いいデッサン、美大に受かるようなデッサンってさ、大嘘ついているくせに、誰もその大嘘に気がつかない、そういうデッサンだよ」

ぼく「どういうことですか？」

Kさん「つまりね、こうやって、壁に生徒全員のデッサンを並べてみるじゃない？　そうやって並べてみてさ、一番自然に見えるデッサンね、それこそが一番いいデッサンなんだよ」

ぼく「……」

Kさん「だからよく、デッサンを描きはじめたばかりの……そう、お前みたいな初心者がさ、いいデッサンって何か？　って聞かれて、かっこよくて、鉛筆のタッチが素敵なデッサンですよ！　なんて言ったりするけど、それ違うからね」

ぼく「……」

Kさん「とにかく一番大事なのは自然に見えるってことで、3次元のものを2次元に描くっていう大嘘ついているクセに、そういうことを忘れちゃうくらい、自然に見える、それが一番いいデッサンだからね。

本当の写実画も、それができなければはじまらない。それができたうえで、ワイエスっ

奥が深すぎて暗いけど、突きつめると光が……！

てさ、デフォルメしたり、部分的に省略なんかもして、肌とか髪の毛をすごい描きこんだりしてさ。とんでもない表現にまで到達するんだから、すごいわけね。

ワイエスのすごさって、自然でありながら、徹底的に描くところは描いてさ、迫力のある絵として成立させちゃうところなんだよ。写実画でありながらきちんと見せたいところを強調して描いている感じなんだよね」

と（細かいところはどうだったか曖昧ですが）、こんな会話をしました。

ほとんどぼくは黙っていましたし、文章

にしてみると、ただただKさんが上から目線でぼくを圧倒しているようですが（笑）、振り返ってみると、Kさんがデッサンの本質というものを受験を控えている若者にわかりやすく、かみくだいて話してくれたことに気がつき、今更ながら感謝の念が溢れてきます。

ただ目の前のモチーフを自然に描くことの大切さと難しさ。

そして盤石のデッサン力を土台にしながらも、独自のアートにまで達しているワイエスのすごさ。

デッサンの向こう側のはるかさきには、ロマンのある世界が広がっているんだということを気づかせてもらった美大予備校での思い出でした。

Column

鉛筆デッサンの流れ

この本では「デッサンとは何か？　デッサン力がデザインに必要なのか？」など、本質的なことについて書いています。ぜひご一読いただきデッサンについて考えてもらえたらと思います。一方で、感性に任せてただ手を動かして絵を描くことも大事です。

ぼくも時々、半分趣味で鉛筆を握り好きな映画のワンシーンなどを描きます。この日のテーマは「人物」。

1974年に公開された名作映画「ペーパームーン」に出演したテータム・オニールの痺れるワンシーンを描きます。

1

まず、モチーフの形をとっていくことからはじめます。人を描くときは、耳と目、鼻と口の位置関係を見比べながら大事なポイントを決めていくことで、全体の形を描き出していきます。

2

ある程度形がとれたら、描きこんでいきます。一番明るいところにはクリーム色の色鉛筆でハイライトを入れていきます。

3

モチーフの女の子の金髪の質感・輝きを出すために、普通の鉛筆に加えて、白とクリーム色の色鉛筆も使い描きこんでいきます。

4

はい、ほぼ出来上がりの状態です。ここまで、約6時間くらいかかってるでしょうか。今回モノクロ映画の雰囲気を出すために段ボール色の紙に描きました。紙選びも楽しんでみると面白いかもしれません。

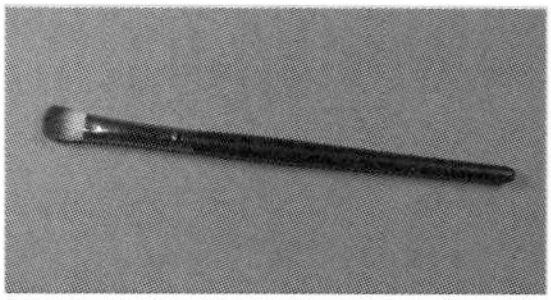

ブラシ

お化粧用のブラシです。線を潰してなじませたいときに使います。指でこすったりするよりもやさしく落ち着くのがいいですね。

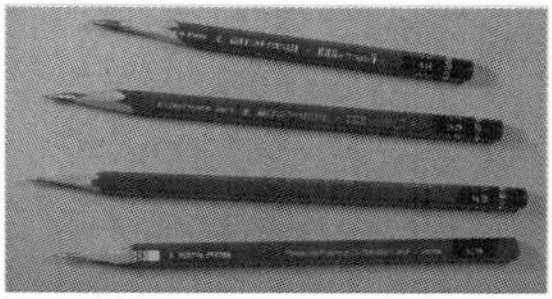

鉛筆

えんぴつの硬さは2H〜8Bまで揃えます。濃さはHが薄く、Bが濃い黒です。カッターで芯を長めに面積をとるのがポイント。えんぴつのハラでも描くときがあるためです。

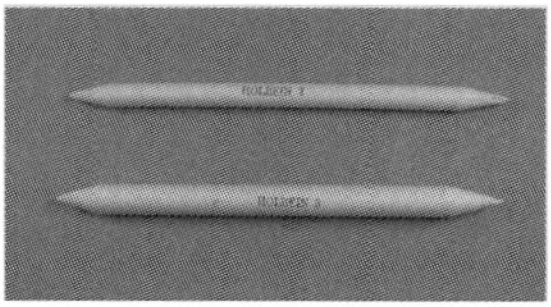

サッピツ

紙やすりなどでこすってえんぴつの形に尖らせます。眼球や二重まぶたの溝など細かいところをこすって鉛筆を定着させます。

消しゴム

普通の消しゴムとの違いは、粘土のように形が変わること。消しゴムとして使うというより、「白く描く」ような意識で使います。

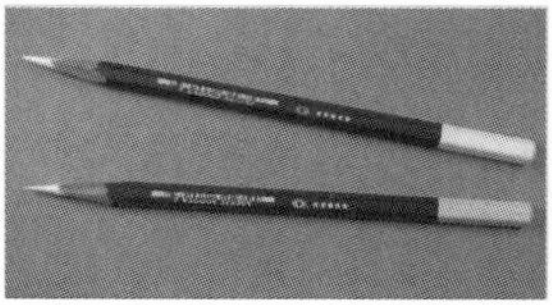

色鉛筆

今回は使いましたが、普通の受験のデッサンなどでは使えません。色紙を使用したので、クリーム色と白を用意して、使い分けを楽しみました。

実際のデッサンの様子をYoutubeにアップしました。

グラフィックデザインとは、
画面に載せる情報を
視覚的に整理して
あげることに他なりません。

このことがきちんとわかると、
おおげさではなく
あなたのデザインの質《クオリティ》が
変わってくるはずです。

（138ページより）

Part 3

「センスのいいデザイン」の正体

正体は基本原則

「自分はセンスが悪い」と思いこんでいる人は、センスというものが後天的なもので、自分の努力で磨けるものだとは気がついていなかったりします。

それについては、Part1（「街はデザインの学校」）で少しだけお伝えできたかと思いますが、もうひとつ「センスがいいデザイン」を作るために、覚えておかなければならないのは「デザインの基本原則」です。色やレイアウトを決定していくとき、デザイナーは感性だけでデザインをしているわけではありません。こうしたらきれいに見えるという基本的な原則・ルールを使いこなして「センスがいいデザイン」を意識して作り上げているのです。

「センスがいいデザイン」の正体はこの基本原則であり、いかにこれを理解して、実践で使えるかにかかっているのです。

逆に言えばこの「デザインの基本原則」をきちんとわかったうえで上手く使いこなせるようになれば「センスがいいデザイン」というのは誰にでも作れるわけです。

この章では、センスがいいデザインの正体とも言える「デザインの基本原則」についてしっかりとお伝えしていきます。

色の3大基本原則（色の3属性）

まずは、「色」についての3つの基本原則をご説明していきます。

論理的に色を使いこなすためには基本法則を理解することが重要です。これらを理解していないと、本当の意味で色を使いこなすことはできません。

「感性だけ」で色を使いこなす、というと聞こえはいいですが、**「自分の色の好み」だけで色を選ぶということになりかねない**ので、プロとして壁にぶち当たることは目に見えています。ですから、色にまつわる「基本中の基本」だけはしっかりと覚えておいてください。

この基本原則、大きく3つあるので「色の3大基本原則」と呼ばせてもらいますね。

①色相《しきそう》、②彩度《さいど》、③明度《めいど》です。

多分、みなさんもどこかで聞いたことはあるでしょう。

これは色に関する基本中の基本で、一般的には「色の3属性」と呼ばれていますが、ここでは「色の3大基本原則」とします。デザインの学校、例えば美大のデザイン科では、1年生で教えているレベルの話です。

また、フォトショップにおいて、ctrl+u(Win)・comand+u(Mac)のショートカットで色相と彩度と明度をまとめて操作できるスライダーが出てきます。

このスライダーで色相と彩度と明度を調整してみると、それぞれの特性が一目でわかったりしますので試してみてください。まあフォトショップという最高峰のグラフィックソフトにおいてこの3つをまとめて調整できるスライダー機能が重宝されていることからも、この3大基本原則が色調整においていかに大切なものかわかる気がします。

では順を追いまして、ご説明していきますね。

ビジュアルでわかりやすく説明するために、一枚の写真を使います。

この写真を使って、彩度を高くしたり、明度を低くしたりしてお見せしたりします。

①色相・②彩度・③明度について一目でわかるようにしました！

QRコードを載せましたので、スマホで読み取って、見ながら読んでくださいね。あと、元の写真と交互に見比べてください。

❶ 色相《しきそう》

色相は単純に、「赤なのか青なのか黄色なのか」というような、色の種類を指します。

ずばり、「何色」なのか、ということです。色という言葉の意味に一番近いかもしれません。

さて、ここで上のQRコードから写真を見ていただきますね。フルーツジュースの瓶の写真の色相だけを変化させた写真を2つ用意しました。

言うまでもなく、上の写真が青に色相を振ってみたもので、下の写真は黄色側に色相を振りました。「振る」というのは、色相を青色系に近づける、黄色系に近づけるということです。

色相というのは、色そのものでもあるので「色を変えるということが色相を変えること」と覚えればわかりやすいかもしれません。

② 彩度《さいど》

これは「鮮やかなのか、それともくすんでいるのか」という度合いのことです。

彩度をどんどんあげていくと蛍光色になっていき、彩度をどんどん低くしていくと、グレー（無彩色）になるのです。

例えばQRコードの写真を見比べてください。

同じ構図の写真ですが、彩度だけ極端に変えています。どちらの写真の彩度が低いか、高いかは、一目瞭然ですよね。

もちろん、上が彩度が低く、下の写真が彩度が高いです。

かなり大げさに彩度を変えたのでほとんど同じ写真だと言えないくらいになってますね。

ご説明した通り、写真の彩度をこれ以上どんどん下げていけば、最終的に白黒（グレー）の写真になります。下の写真の彩度を上げていけば（今でもかなりすごい色ですが）、ハレーションを起こしたような蛍光色になっていくでしょう。

ただ、逆に言えば、彩度以外は色相も明度も何も変えていません。こうして彩度だけ変えていくとこうなる、という極端な形でご覧いただきました。

③ 明度《めいど》

これは明るさと暗さのことです。

よく②の彩度とごちゃごちゃにしている人がいますが、明度は、鮮やかさは関係ありません。

単純に明るいか暗いかなんで、白黒にしてみたときの色の濃さの違いと理解してみてもいいです。白黒コピーをするときに、濃い・薄いと濃度を選べる表示が出てきますが、まさにあれこそ、明度のことだと言えるでしょう。

こちらもさきほどの写真を使い「明度だけ」変えてお見せしてみますね。QRコードを開いてください。まず、どちらの写真も普通のデザインで使えない極端になってますが、例としてご覧ください。

濃いか・薄いか、いやもっと単純に部屋が明るいか・暗いかというものさしで見て覚えてもいいと思います。

まさに、上の写真は暗い・明るい、という目安で見ればわかりやすいはずで、明らかに上が暗く（濃い）、下が明るい（薄い）わけです。

基本はこの3つなんですが、実際のデザインの現場ではこの3つを**「色を理解するためのものさし」**のような感覚で使います。

例えば「もっと明るくして鮮やかに、それから黄色っぽいほうがいいね」と先輩デザイナーに言われたら「もっと明るくして（明度を）鮮やかに（彩度を）それから黄色っぽいほうがいいね（色相を）」と「明度・彩度・色相」という3つのものさしに分けて考えることをおすすめします。

明度（明るさ）は色の「濃さ・薄さ」ということで、それぞれ白黒コピーしてみれば明快にわかりますが（いちいちそんなことしてられないので）、**目を細めて見るだけでもその色の濃さ（明るさ）はわかる**ものです。

彩度（鮮やかさ）は、新鮮な色か、濁った色かということでコンテンツの特性によって使い分けます。彩度が低く鮮やかさが足りない写真などは古いイメージ、とネガティブに考えてしまいがちですが、ターゲットが年配の方々の場合などは、彩度が低く落ち着いた色のほうがいい場合もよくありますので、彩度が高ければいいというわけではありません。

色相（色の違い）は、一般的にみなさんが「色」と理解しているものはこの「色相」のことと考えていいです。それぞれの色相の関係を理解するには**「色環」を見るとよりわかりやすいでしょう。**文字通り360度ですべての色を表している「色の環」なので、補色関係（色環の反対に位置する色の関係）や寒色・暖色などが一目瞭然でわかります。

この色の3大基本原則は、色を考えるときにとても大切な3つの柱で、ものさしのようなものでもあります。

例えば自分のデザインを見て「どうも色が最適でない」と思うときに、**色相・彩度・明度**

のどこを調整すれば良くなるのか、考える癖をつけると、比較的早く改善案が出たりします。

ターゲットが若者のキャンペーンデザインなのに「何か色味にパンチが足りない」と思うときは、彩度が足りなくて落ち着いた色ばかりになっているのか、それともメインコピーの文字色と背景色の明度差が足りないのか、など分解して理詰めで考えていくことができるわけです。

色の3大基本原則は、色について論理的に考える大前提となる知識ですので、まずは頭の中に叩きこむといいかと思います。

色感は磨かれるのか?

少し根源的な話になりますが何かのデザインの「配色」を決めていく、そのデザインで重要な基調色を2〜3色選ぶ工程にも「感性」と「論理性」の両方の考えかたが必要になります。

順を追ってご説明しますね。

秋に限定発売するワインの特設サイトのデザインを依頼されたとします。

秋限定ということで、一番目の色は「えんじ色」を選ぶとしましょう。

そしてそのワインの特徴が、かなり辛口で少しエッジが効いた味だとしたら、もう一色はどんな色を隣に置けばいいでしょうか。

「秋の落ち着いた感じを表そうとして地味な色を選んだら、このワインの力強さが伝わらないし、パンチを効かせたいな。よし、一番目の色（支配色）が〝えんじ〟なら、あえて反発しあうという意味で、思い切って補色系の色をもう一色選んでみよう」となるかもしれません。

えんじの補色系→おおざっぱに、大体グリーンあたりです。

補色をそのまま使うとハレーションを起こすだけなので、完全な補色は外すのが得策です。「純粋なグリーンは使わずに、オリーブグリーン（→少し黄土色に近いグリーン）か、もしくはエメラルドグリーン（→少し青に近いグリーン）に振るかな？」などなど考えていきます。

ここまでは、非常にロジカルにきてますね。理詰めですし、色選びの説明まできちんとできます。

でも、ここから最終的にあなたがどちらの緑色を選ぶかというとき、あなたの論理的な頭はしばらく沈黙します。そのかわり、しゃべり出すのはあなたの感性です。どちらのグリーンを選ぶのかは最終的にあなたの中で作り上げられてきた「センス」が選ぶのです。

人に聞かれれば、あなたはまるではじめから考えていたかのように、その緑色を選んだ理由を説明するかもしれません。でも本当は「感性」でそのグリーンを選んだので、理由は上手く説明できません。

デザインをしていく中で、あなたの「感性」が「こっちが良い！」と言いきったから、としか言えない場面は確かにあるのです。

つまりぼくたちデザイナーはひとつの色を選ぶだけでも**「感性」と「論理性」の両方の考え方を総動員している**わけです。

では、感性の鋭いデザイナーにはどうすればなれるでしょうか。

色について言えば「色感は磨かれるか？」ということです。

実はこれ、美大予備校に通っていたとき、色を使うデザイン構成が苦手だったぼく自身が思い悩んで、お世話になった講師に聞いた質問でした。

そのときのぼくの色使いは、もう最悪で、どんな色を選んでも汚く魅力的でない配色となってました（今、考えてみれば「色の3属性」もまったく知らず、知識も何もなかったから当然なんですが）。

若いその講師はぼくの疑問に一言で答えてくれました。

「色感とか、センスなんて自分自身で磨くものだよ」

今考えてみると、その講師からすれば「色感を磨く努力・行動もろくにしてないのに、何を甘えたこと言ってんのか」程度の言葉だったんでしょうけど、自分の色使いの悪さに絶望していたぼくからすると「色感って努力次第で自分で磨けるの……？　がんばればキレイな色が使えるようになるのか」とやる気を出させてくれるような言葉として、胸に響いたんですね。

若いときに、尊敬している人からもらう言葉とは恐ろしいもので、おおげさなようですが、ぼくのデザイン人生の支えになって来た言葉です。

そうです、色感は自分で磨けるのです。

では、どうすれば色感は磨けるのでしょうか。ぼく自身の経験からすると、妙な言いかたですが、「色まみれになる」ことが手っ取り早いです。

自分の身のまわり、街から、ネットから、雑誌から、あらゆるところから「素敵だな」と思える色をひたすら探していくうちにあなたの色感は磨かれていきます。

色ノートを作って色感を磨く

具体的にどうすれば良いか、Ｐａｒｔ１で紹介した「お楽しみノート」の色版スクラップブック「色ノート」を作ってみることをおススメします。

昔、傘の企画・販売をするアパレル企業でデザインの仕事をしていたとき、色について大変苦しんだ記憶があります。

アパレルデザインの場合、ひとつの柄から何配色も作らないとならないので、色については敏感にならざるをえませんでした。

そのときに必要に迫られてやっていた色感上達法は、**「2つの色合わせで、気持ちの良い配色」を毎日探し出すというものでした。**

例えば「ベネティアンレッド」と「ウルトラマリンブルー」のキレイな色合わせを見つけたら、それをデジタルでもアナログでもいいのでとりあえずストックし、後で見返すことができるようにしておく、これだけです。ストックの方法は後で詳しく書きます。


普通、入社1年目の新人は下積みのアシスタントとして先輩デザイナーの下について1年くらい経験を積み、やっとブランドを任される……という流れが当たり前だろうと思いますが、ぼくが勤めていた会社は、入社数ヶ月の新人にもいきなりブランドを任せてしまうところでした。

即戦力と言えば聞こえはいいですけど、任されたほうからすればものすごいプレッシャーでしかありません。

特に、単価の安い傘生地は布を染めるのが中国の工場でしたので、恐ろしいことに「色見本」を試すことができず、色を指定したら、いきなり何万メートルもの染め上がった生地が工場に送られてくる状況でした（今でも鳥肌が立ちそう……）。

ぼくが担当したのは、無地のツートンカラーの傘。花柄の配色まで任された同期よりは随分ラクな気もしました。

しかしすぐに、その考えは非常に甘かったことに気がつきました。絵柄があれば、その絵柄の魅力でごまかせそうですが、無地で2色のカラーだけだと、この2色の組み合わせの美しさだけで傘全体の魅力がほとんど決まってしまうという中で、お客様に買ってもらわないといけないのです。

作るほうからするとなんとしても、美しい色合わせを実現しなければなりません！

簡単に言えば、ぼくの配色のセンスが悪ければ、数万本の傘が返品されるという、そういうプレッシャーにさらされました。それからというもの、ぼくは目に映るものの中から「キレイな2色の色合わせ」だけを追いかける日々がはじまりました。

一応、アパレル系のデザイン会社ではあるので、海外のファッション雑誌は溢れるほどにあります。また日本のデザイン書も揃っていて、資料には事欠きませんでした。

その日から、会社の資料室のいろいろな雑誌に不自然な切り抜きの跡が目立つようになり

収集したいろんなアイテムから「色」を集めました

ました。もちろんぼくの仕業です。白い目で見られたりしましたが、そんなことに構ってなどいられません。必死にいろいろな雑誌やカラーチップを切りぬいたり、資料室のスカーフや布切れを持ってきたりしました。

それら集めた色の切れ端を、机の上に置き散らかしているわけにもいきませんので、自然にノートに貼っていくことになりました。

大量の返品や売れ残り在庫の傘の山……（キャー！）という恐怖感のなせる技で、すごいスピードで1冊まるまるノートを使い切り、2冊目に入る頃、ほんの少しだけですが、色のことがわかりはじめてきました。

そのときは必死だったのでよくわかりませんでしたが、後から振り返ったときに最終的に追い求めていたものは**「自分なりに気持ちのよい色の組み合わせ」**だったことに気がつきました。

「気持ちのよい」とは上手く言えませんが、妙な言い方をすると、頬ずりしてしまいたい……と思えるレベルの「気持ちよさ」のことで、少しいいなと思ったぐらいでは足りません。そこまでいったかは別として、本気でそういう色合わせを探すようになっていったのです。

正直なところ、理論がどうのではなく、もう感性のみの世界です。右脳のみ働いてる状態で、身体感覚で色を探しているような感じです。

色の感性を磨くときに、ある部分で（ある時期）**理論とか考えずに子どものようにいい色合わせを追いかけていくやりかたは絶対に必要だと思いますし、やってみて絶対に損はありません。**基礎的知識が必要であると同時にデザイナーは論理性だけではつとまりません。ぼくたちは評論家でも学者でもないのです（本当の学者は感性もすごいと思いますけど）。

さて、その感性、ここでは「色感」を鍛える具体的な一つの方法をわかりやすく、まとめさせてもらいます。

① 日常の生活の中、あるいは例えば広告やファッション雑誌から、本当に自分が「きれいだな、気持ちが良いな」という2色の色合わせを探し出します。

↓

② その色を、切り抜けるなら切り抜いたり、スマホで撮って、後から見返すことができるようにとにかくストックしてノートに貼ります。

↓

③ (それで終わっても良いですが) できればストックした色を見返して、その色合わせがなぜキレイに見えるのか、真剣に考えてみるのです。

例えばその2色が「補色の関係なんだけど、少しだけずれていて完全な補色ではないからキレイに見えるのかも」、「完全な補色関係は配色として強すぎて2色の組み合わせとしてはキレイに見えない」など、**自分なりの経験を通じてはじめてわかった色の知識を誰かに説明できる言葉で手に入れるのです。これらの知識は参考書を見て表面的に覚えたものではないので、その後も忘れることがありません。**

ぼくが傘の会社で悪戦苦闘していた頃は、デジタル機器がそもそもなかったので、見直すために紙にまとめていました。スマホでしたら、ピンタレストやインスタグラムなどSNSを使って、いつでもどこでも見られていいのかもしれません。

ただ、個人的にはそうやって（デジタル、アナログ関係なしに）ストックした色を、カラーチップ（DIC、パントーンなどあります）と照らし合わせたりして、「わりと彩度の高い色で良いんだ」とか、「ほとんどグレーで十分なんだ」とか具体的に確かめてみる行為をしたほうがいいと思います。

と言うのも、**色をイメージ（元からある先入観）だけで捉えるのは危険で、一つひとつの色合わせを離れたところから、冷静に見返す時間が必要だと思うからです。**

色チップをノートに貼って見るとか、アナログで色と戯れているとその時間が生まれる気がします。

ぼくの場合、2色の色合わせを求められていたので、必然的に2色の色合わせを探していたのですが、選ぶ色数は絞ったほうが配色関係を深く考えるということに入りやすいと思います。

例えば、「紫とオレンジって合わせるだけでハロウィンのイメージになるな！」とか、「完全な補色だとコントラスト強すぎるので3色目にグレーを入れてみたら中和されるな」など、最小単位からはじめると色と色の関係性が理解しやすいですし、絞った分、深く考えられる気がします。

まあそうやって2色ずつ、ずらりとノートに並んでいれば、「隣の色とも合うな」という気づきがあり、3色や4色の色合わせへと自然に発展していくと思います。

寄せたり、離したり

このお題を聞いてなんの話なのか、わかった人は多分素人ではありません、プロのデザイナーでしょう（笑）。

そうです。ここでお話ししたいのは「レイアウト」のお話です。

「デザイン内の要素を（意図を持って）寄せたり、離したりする」だけで、レイアウトの問題点はほとんど解決されて、デザインの完成度が高まります。かなり重要なので、きちんとご説明できればと思います。

このポイントが整理されていないと「理由はよくわからないけどなんだか見にくい」というデザインになってしまったりします。逆に言えば、わかってしまえば簡単なので、この「寄せたり、離したり」というポイントをデザイナーが意識して押さえていくだけで、デザインが格段に見やすくなる、ということです。

大切なのは**「なぜ寄せるのか、なぜ離すのか」**というところです。ただなんとなく寄せているわけではなく「きちんとした理由があるから」寄せたり離したりするわけです。

例えば画面上でいくつかの要素を寄せて見せるとき、「同じ意味性を持つ仲間」を寄せるのです。逆に、全然関係のない要素は「関係ない」とわかるように離して配置します。それぞれの要素を意味の近いもの同士グループ化して、塊として見せるように配置するのです。

ときどきなんだか画面がばらついて見にくい印象を受けるデザインがありますが、かなり

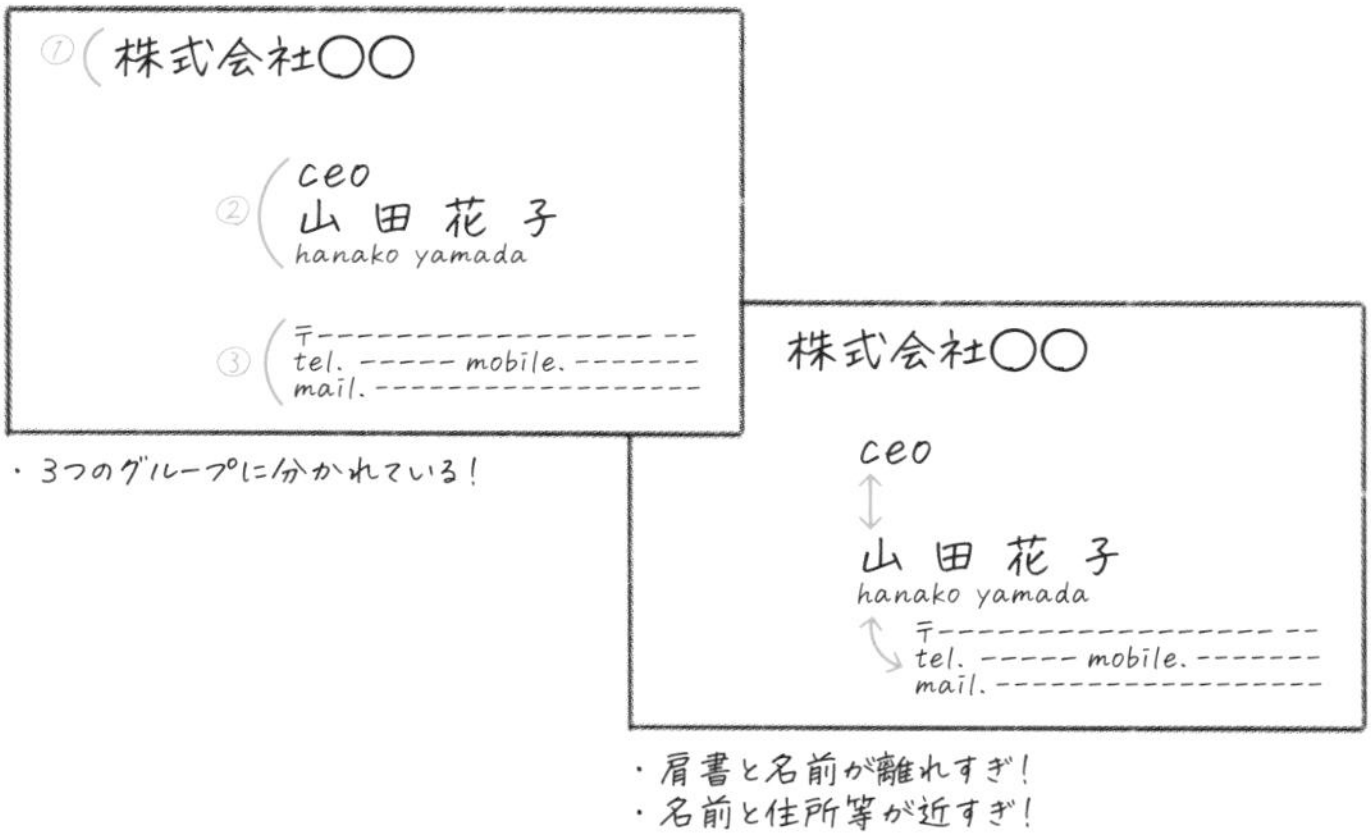

いい名刺（左）と、あまりよくない名刺（右）の違い

の確率で、この「レイアウトの基本」を外していることだけが原因だったりします。

例えば、名刺のデザインなどは、画面上の要素が文字情報・会社ロゴの2つの要素だけとシンプルなレイアウトの場合が多いだけに、参考例としてはわかりやすいかもしれません。

大抵の名刺のデザインでは、ロゴ（会社名）と住所と名前の文字はそれぞれきちんと離れているはずです。

簡単に言えば、それぞれの要素（会社名・住所・名前）と「同じ仲間」をまとめて（寄せて）それぞれのグループごとに十分に離して見せているということです。

ＤＴＰデザイン（本のデザインなど、印刷物のデザインのことです）における「段落」なんてそのまんま、この法則が当てはまります。

同じ内容の文章を行単位でまとめて配置することで「ここからここまでは同じ話だよ」と、読者に提示しているわけで、レイアウトの王道というか、基本的な技術です。

これらのことを意識して街のポスターから電車の中吊り広告まで見渡してみてください。どうでしょう、意味的に似ている要素同士は近づけて配置され、そうでない要素は離して配置する、といったこの法則通りに、大体の広告がレイアウトされていることに気がつきませんか。

グラフィックデザインとは、画面に載せる情報を視覚的に整理してあげることに他なりません。このことがきちんとわかると、おおげさではなくあなたのデザインの質《クオリティ》が変わってくるはずです。

こういう良いデザインの中に共通する基本法則に気がつくと、当然、自分のデザインにも活かすこともできるようになってきます。

センスや場数だけではなく、これらの法則を誰かに説明できるくらいに自分のものにすることができると、いわゆる「再現性」が生まれ、いつでも使えるようになってきます。この「再現性」を手に入れることは、デザイナーとしてのスキルアップに成功したということです。

「寄せたり、離したり」は種明かしをすれば、「なーんだ」と思われるくらい当たり前のことで拍子抜けするものですが、意識するかどうかでデザインのクオリティが変わってしまいますので、心に留めておくといいかと思います。

ネガティブスペースの重要性

レイアウトについて、続けます。

とても大事なことなのですが、実はデザイナーでない人はあまり気にされていない部分だったりもする、「ネガティブスペース」についてです。

ベートーベンとベートーベン以外（ベートーベンさん、ここでもすみません）

ネガティブスペースってそもそもなんのことでしょうか？

ネガティブスペースとは、「対象物を取り囲むスペース」のことです。つまり、あなたを写真に撮ったとすると、そのあなた以外のスペースを「ネガティブスペース」といいます。

まあちょっと、文章だけではわかりづらいかもしれませんね。こちらの絵をご覧ください。

また、ベートーベンの登場です（笑）。

まず、普通見るとき、人はこのベートーベンを、「主役」として見ます。

ベートーベンの形をそのまま見るわけです。しかし、ネガティブスペースとは、ベートーベンの形以外のスペースです。

はい、右の黒い部分です。

おわかりでしょうか。「主役のベートーベンではなく、**主役を切り抜いた主役以外のスペース**」の黒い部分を見てください。**これがネガティブスペースです。**

Part2でも書いたように、デザインを考えていくうえで、この「逆のものの見方をする」ということはとても大切です。

ネガティブスペースについては、「この空間は対象物そのもの、つまり主役よりも重要である」とさえ言われてます。なぜならその空間の空き具合によって、主役である対象物へと目がいくかどうかやレイアウトのバランスなど、大事なことがほとんど決まってしまうからです。

だからプロのデザイナーは、こんな風にも言ったりします。

「ネガティブスペースは、たまたま残ってしまったスペースではない。創り出すべきスペースである」

プロの人はこのスペースの形がきれいな形かどうか、モチーフの形との関係はどうか、緊張感のあるバランスを創り出しているか、真剣に考えぬいています。このスペースを意識しているかどうかで、本当にその人がプロなのかどうかを試すことができる。そんな風にさえ言われてるのです。

ぼくが言いたかったのは「ネガティブスペースというのは、レイアウトにとってそれだけ重要なポイントだ」ということです。

このネガティブスペースのバランスの取り方でレイアウトは決まっていきます。「主役以外のスペース」を見つめるというものの見方は、表面的でない部分をきちんと見つめてデザインを構成していくことにもつながります。

これは、デザインの基礎のひとつ、デッサンにおいても大事な考えかたです。デッサンするときに、形が狂わないように描いていくため、ポジだけでない、石膏なら石膏以外のネガティブスペースも見て描けるか（意識していけるか）という視点も持つことで、形を正確に捉えるためのチェック体制も整いますし、画面全体のバランスを確かめることができるので、デッサンの正確度が増します。

今度、デザインをするときには、ネガティブスペースの重要性を今よりも少しだけ強く感じて作ってみてはどうでしょう。

もしかしたら今まで見えていなかったものが、見えてくるかもしれません。

グリッドデザイン・ノングリッドデザイン

グリッドデザインとは、グリッド（方眼の四角形・マス目）を用いて画面を分割し、グリッドを基準にして写真やテキスト、その他の要素を配置していく、レイアウト手法です。

グリッド（方眼の四角形・マス目）を元にして、整理され計算されたデザインという簡単な理解で構いません。

その対極にある「ノングリッドデザイン」とは、どんなものでしょうか。

簡単に言えば、グリッドデザインと正反対のものです。グリッドなんか一切気にしない「自由でフレキシブルなレイアウトデザイン」と言えるでしょう。

グリッドデザイン（左）と、ノングリッドデザイン（右）

例えばこんな感じでしょうか。

学園祭の楽しさを表現するために、一つひとつのビジュアル要素が踊っているように自由に配置されています。ここに、グリッドに合わせたり何かの補助線に合わせたりする規則性はありません。

グリッドデザインは、方眼という規則性に支配されたデザインで、ノングリッドデザインはネガとポジのバランスに支配されたデザインと捉えることもできます。

ただ、それはノングリッドデザインがデザイナーの感性のおもむくままに作り上げたデザインということではなく、**「偶然性を味方につけ、構成要素やフォントの形な**

どを活かした自由なデザイン」と捉えてもらえればと思います。

規則性や法則性に頼らず、より自由に、よりダイナミックに見えるようにしたいときに使われる手法です。

音楽で例えるなら、クラシックがグリッドデザイン、ジャズがノングリッドデザインという感じでしょうか。

「ノングリッドデザインって絵画に近いんじゃないですか？」という質問も聞こえてきそうですね。おっしゃる通りです！

「自由に、ダイナミックなレイアウト」という部分など、まさにその通り。「絵画」には定型がありません。ないと言うと語弊があるかもしれませんが、少なくとも方眼のマス目に合わせる形の絵画は少ないはずです。

逆に言えば、グリッドや定型のフォーマットがないぶん、画面内のエレメント（要素）一つひとつが画面に対して美しくレイアウトされているか、**ネガティブスペースは美しいか、描き手はより厳しく見ていかなければなりません。**

レイアウトを決めるためのガイド線も何もないので、描き手は自分の感性に従ってレイアウトを決める必要があるのです。

電車内の広告など見れば、インパクトを出しやすいノングリッドデザインが圧倒的に多く、デザイナーがデザインに「ひとつの絵としてのクオリティ」を求められる場面は非常に多いことがわかります（広告デザインは主役のモチーフを強調するビジュアルとなりがちなので、ノングリッドデザインとは相性はいいのです）。

デッサンを描くということも、画面の中にモチーフを美しくレイアウトするところからはじまる……。そんな風に考えていきますと、美大のデザイン科の試験科目に今も変わらずにデッサンがあることは必然であり、未来永劫なくなることはないような気がします。

「デッサン＝絵」ではありませんが、絵を描くことの第一歩がデッサンであることは間違いありません。

グラフィックデザイン科の試験になぜデッサンがあるのかという質問に「あなたがノングリッドデザインをするときに困らないためだ！」と言うのは乱暴かもしれませんが、答えの一つかもしれません。

ですから、基本的にデザイナーにとって絵を描くための感性ってとても大切なものだと思います。

もちろん、まったく絵が描けないクセにいいデザインを作る輩も知り合いのデザイナーにいますが(笑)、多分彼らは、コラージュを作らせたり、写真を撮らせたら普通に上手いはずです(つまり頭の中に絵を描くだけの感性やバランス感覚は確実にあるということです)。

「自分ならどうするか」シミュレーションをする

電車内の中吊り広告に注目してみてください。

「飲みごたえ最高!」とかタレントがビールを手に叫んでいるようなヤツです。これを見て、「あ〜ビール飲みたくなっちゃった」とかそういう素人的な感想はぐっと抑えて、こうしたノングリッドデザインのネガティヴスペースの形を見たり、画面の文字の角度や配置についてプロの目でチェックしてみてください。

変な例えかもしれませんが、「野菜ジュースを噛むように飲む」ような丁寧さで確かめます（もちろん気持ちの話ですよ）。つまりは、人様が作ったデザインを、さも今自分が悩みながら作り上げているかのようにじっくり味わいながら感じていくのです。

そんなときに何倍にも効果を上げる呪文は**「自分ならどうするかな？」**です。

この呪文はけっこう効果があります。呪文を心の中で呟きながら、疲れ果てて帰るだけの電車で数分だけ、真剣に、デザインの脳内シミュレーションをしてみてください。一瞬で車内がデザインの勉強場所に変わります。

断言しますが、この脳内シミュレーションを数多くこなしているうちに、だんだんあなたの絵心が磨かれてきて「ビール飲みてぇ」と言う目でしか見てなかったときに比べて、**「あぁ、画面全体に動きを出して勢いを出そうとしてるんだ」とか「バランス良くレイアウトされているデザインってネガティヴスペースもきれいに見えるな」とか、ノングリッドデザインの勘どころがビシビシわかってくるようになります。**

そして可能なら、シミュレーションだけでなく、実際にコラージュなども並行して作ることができれば、短期間でノングリッドなデザインも恐れずに作れるようになっていくでしょう。

ここまで読んでいただけたら、もうおわかりかと思いますが、世のグラフィックデザインでノングリッドな要素を持っていないデザインは存在しないと言えます。

大抵のデザインは、ひとつの画面内に感覚的な判断が必要な部分と論理的な判断が必要な部分が存在します。

論理的な判断については、ある程度フォーマット化できるので、使いまわせるようなレイアウトフォーマットや配色法などは情報化されてテクニックとして出回っていますね。

そのうち「絵心」だってＡＩのディープラーニングによって便利なアプリも出るかもしれませんが、今のところ、絵を描く感覚に近いノングリッドデザインについては「出たとこ勝負」という感じで、毎回フレキシブルにデザイナーが考えていかなければなりません。

だからこそ、経験を積んでいくしかなく、実際に作れないのであれば自分が作っているかのごとくシミュレーションしたうえで、自分で手を動かしたら上手くいくのか実際にデザインしていくのが一番のショートカットのように思います。

では「自分で手を動かして何か作るって、何を作ればいいの？」という方もいると思います。

基本、好きなものを作ってもらえればいいんですが、デザインをある程度仕事としてされているかたなら、最近の案件に似せたクライアントをでっち上げて、仮のデザインを作っちゃっていいかと思います。

例えば、不動産会社のｗｅｂサイトを仕事で作ったのなら、公開したデザインとまったく別のデザインをノングリッドデザインを意識したＢ案として作ってみる、とか。

また、好きなミュージシャンのＣＤジャケットでもＴシャツでも、コンセプトをよく調べたうえで、自分なりのノングリッドデザインでつくってみる、でもいいと思います。

要はグリッドで、レイアウトフォーマットに組みこまないとならないものでなく、ずばり絵心を試されるようなものに自分なりに挑戦してみれば良いと思います。

もちろんノングリッドなデザインであっても、バックに見えない補助線を敷いていたり、図形を配置して、それに沿うようにデザインを作っていくことは多々あります。

ですが、あんまり細かくフォーマット的なものに捉われないほうが、自由で勢いのあるデザインになったりしますので、まずはざっくりこの2つの方法を把握したうえで、どちらも場数を踏んでみるといいのではないかと思います。

"黄金比"とは?

「黄金分割」「黄金比」という言葉をどこかで聞いたことがあるでしょうか。

ご存じない方もいるかもしれないので、簡単にご説明しておきます。

黄金比とは、古代ギリシアより「神の比率」とも言われ、人間にとって最も美しく安定感を感じる割合と言われています。

その比率は、縦横比が1対1.6180。

しかし、実際にデザインで使うときは、5対8が、ほぼ1対1.6180と同じ比率なのでそちらを使用するようにしています。

黄金比とは、つまり、ある意味理想的な四角形の縦横の長さの比率のことを言います。

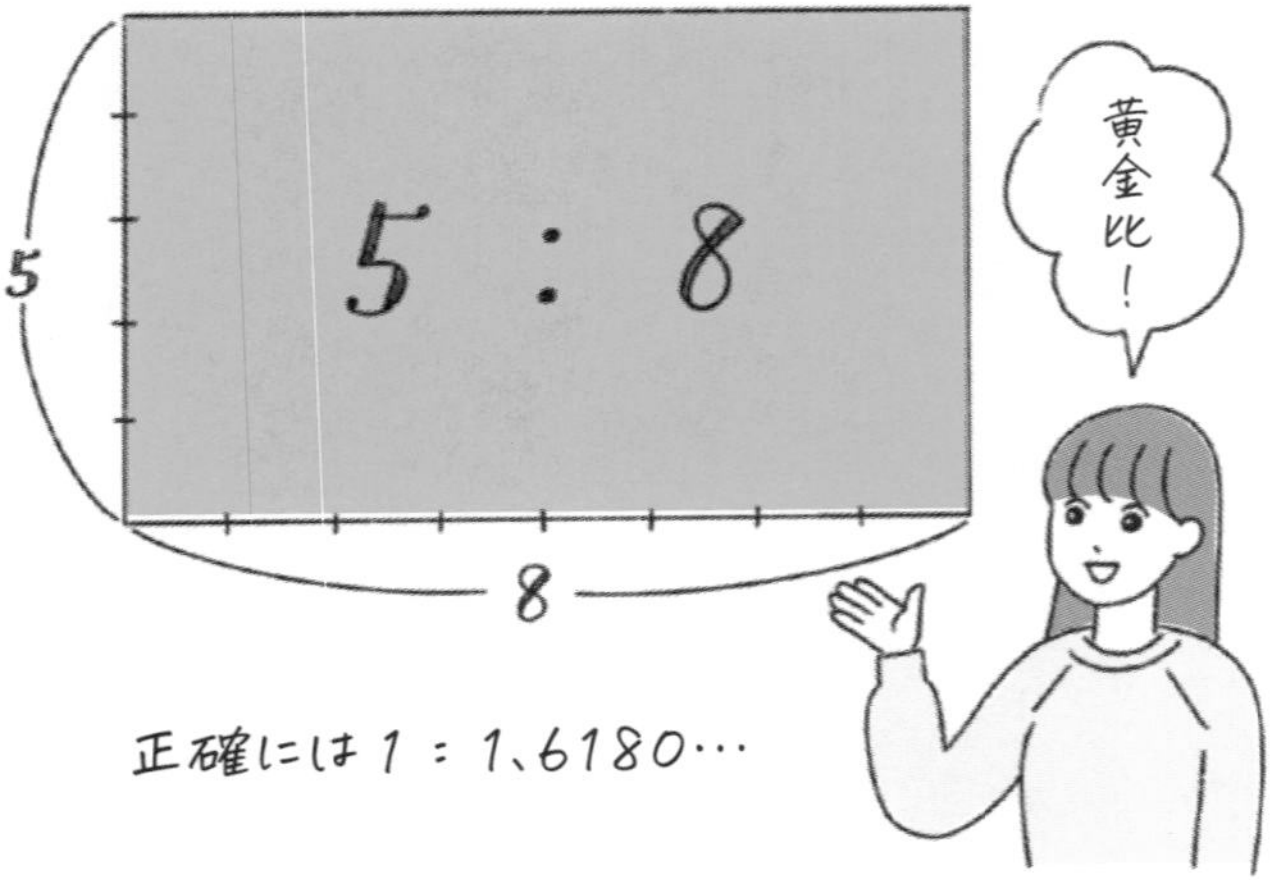

黄金比の長方形は、日常のいたるところに潜んでいます

「黄金」という言葉は、イコール「最高の」ってことで使われているようです。デザインにおいて大事なのはバランスです。

それはレイアウトだけでなく色でもなんでもすべてに言えることです。

レイアウトのバランス、色彩構成のバランス……黄金比も四角形の縦と横のバランスが見る人に美しさや安定感を感じさせている、とイメージしてください。

この黄金比、身近なところでひっそりと大々的に（？）使われています（多分みなさんも日々見ています）。

例をあげてみましょう。すべて四角形の

サイズのことです。

・クレジットカードなど各種カード
・3つに折ったお札
・ハイビジョンテレビの画面（4対3の画面よりスマートです）
・新書版の書籍（文庫よりおしゃれですよね）
・たばこのパッケージ
・名刺

ざっと思いついたところをあげただけでもこれだけあります。

また、現在、世の中を席巻しているアップル製品でもいろいろなデザインでこの黄金比は使われています。

古い製品ですが、iPodなど四角形の縦横が黄金比ですし、iPod nanoにも使われていました。多分、他の製品でも使われているはずです。デザインにうるさいアップルが黄金比をほっておくはずありません。

また、パリの凱旋門の建築デザインでもこの比率は使われていたり、ギリシアのパルテノン宮殿などのデザインにも黄金比が応用されています。検索するといくらでも出てくるはずです。

正方形を使った黄金長方形の作り方

あまり難しい話にはしたくなかったんですが、黄金比が黄金長方形（縦と横の比率が黄金比の長方形）の描き方（作図方法）をご説明します。この作図方法の中で「黄金螺旋」というものが見えてきますが、この螺旋を見ると黄金比がわかります。

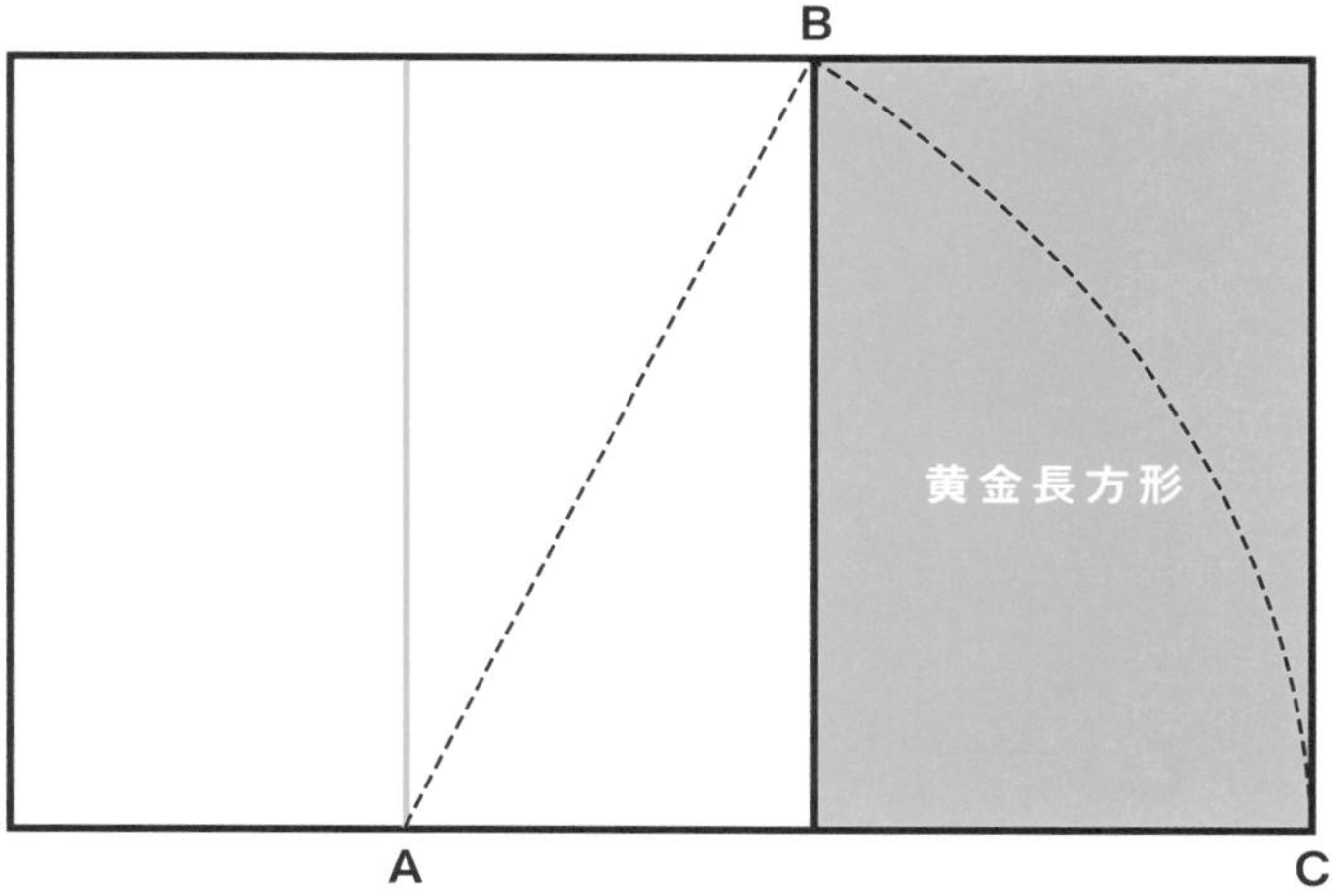

① まず正方形を描きます

② 正方形の１辺の中点「Ａ」から相対する角「Ｂ」まで斜線を引き、この斜線を半径として弧を描き、正方形の下の辺を伸ばした線との接点を「Ｃ」としてここにできた長方形が「黄金長方形」（オレンジの部分）です。

ただし、実は黄金長方形はこのオレンジの小さい長方形だけではなく、先に描いた正方形を含む大きな長方形も「黄金長方

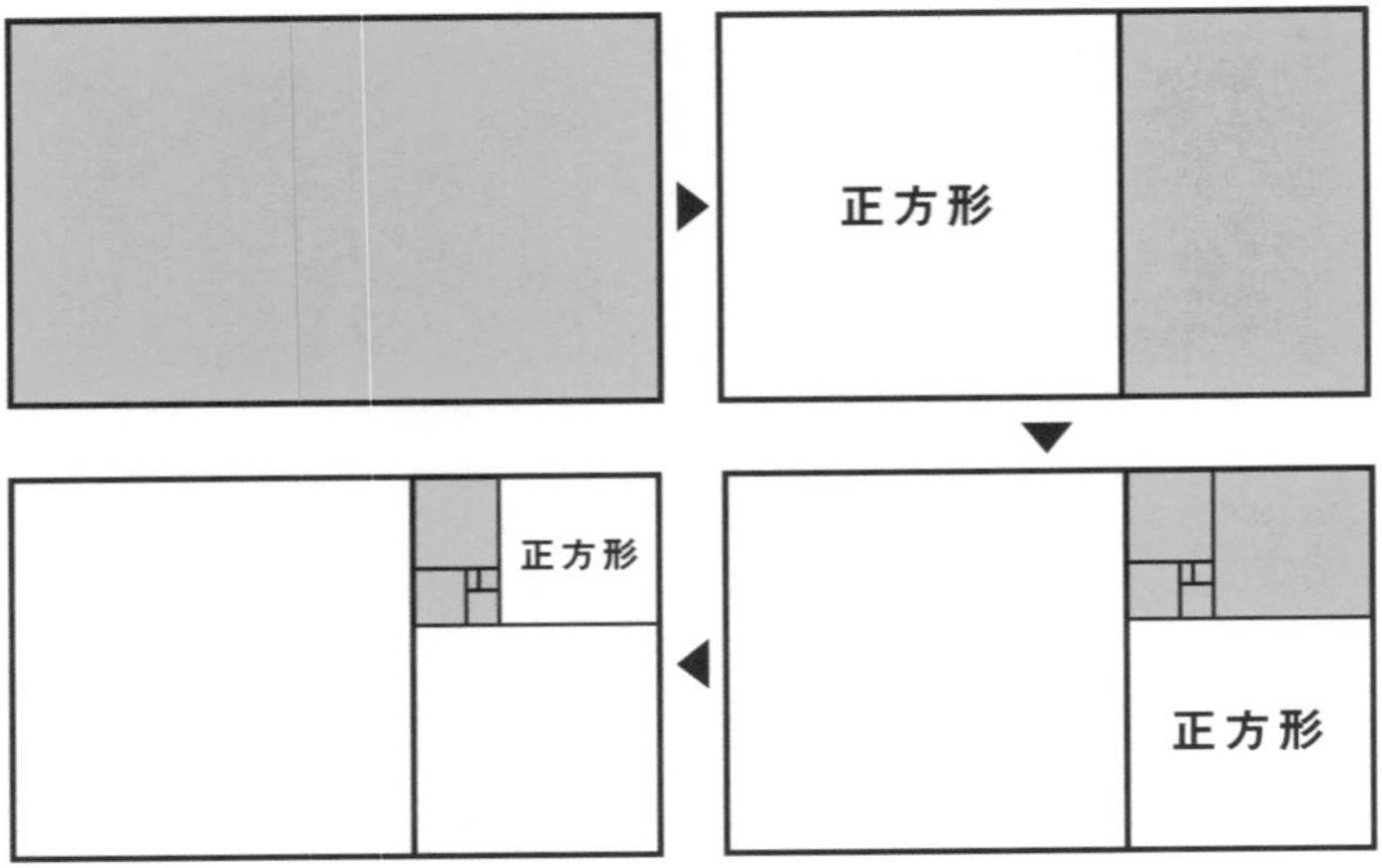

形」となっているので、この時点で、2つの相似の「黄金長方形」が同時にできているわけです。

③ そしてこの「黄金長方形」から、短辺を1辺とした正方形を取り除くと、また一回り小さい相似の「黄金長方形」が出現します。

つまりは、大きな黄金長方形から正方形を取ると、小さな黄金長方形が出現します。

ということですが、この手順は無限に続けることができ、こんな風に螺旋状に相似

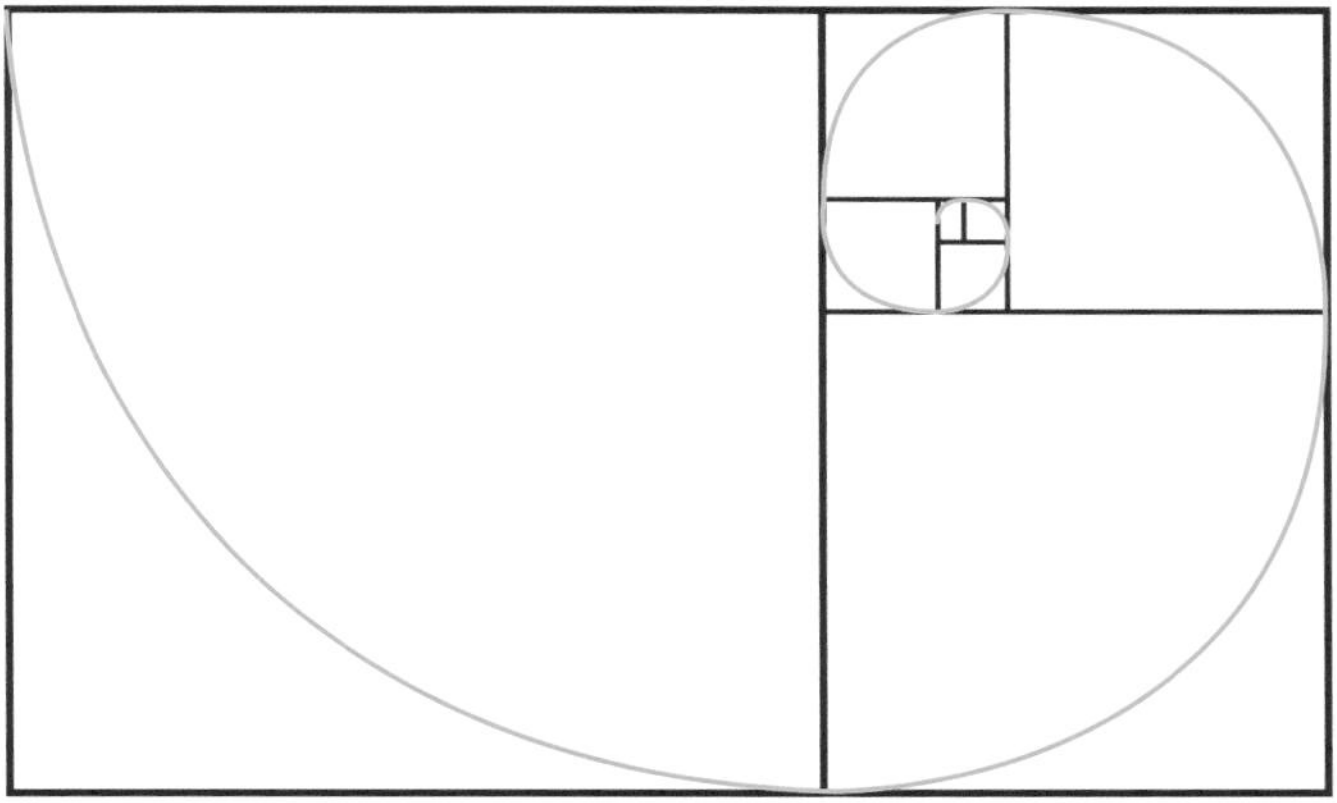

の黄金長方形ができていきます。

④ この黄金分割に沿う形で、正方形の辺の長さを半径として弧をつなげていくと「黄金螺旋」が見えてきます。

どうでしょう、この螺旋を辿っていくと正方形から黄金四角形が螺旋に沿って永遠に続いていくように見えないでしょうか。

この螺旋は自然界にもあります。オウムガイの殻の形状やヒマワリのタネの配置や多肉植物の葉の展開などにも見られ、この黄金螺旋から導かれている黄金比が、自然界のDNAにもともと組みこまれた比率と思えてきてしまいます。

では、この黄金比はどのようにデザインに使えるでしょうか。

黄金比の使い方

さきほどの黄金螺旋を含む、図形にロゴデザインの形状を当てはめるように作っていく方法がひとつあります。

一番はじめに描いた正方形の四辺にデザインの重要なエレメントを合わせていくやり方で、アップルやツイッターのロゴなどその方法で作られていると聞きます。ただ、この作り方は非常に複雑でわかりづらいので、ここでは簡単な方法だけご紹介しておきます。

例えばwebデザインで言えば、トップページのデザインでメイン画像部分の縦横比を黄金比、つまり5対8にしてしまうとか、建築物なのであれば、凱旋門のように建築物の外観の縦横比を黄金比（5対8）に合わせてデザインしてしまうとか、そういう使い方が一番簡単でわかりやすい使い方でしょう。

他には、普通の正方形で作ったグリッドの替わりに、**黄金比で作ったグリッドをベースにしてグリッドデザインを展開するやりかたなどもあります。**

しかし、もちろんこれらの方法を使ったからといって格段にデザインが良くなるわけではないので、必ず覚えないといけないデザインルールではありません。

でも、覚えておいて損はないですし、名詞の縦横比などはおさまりがいいというか、バランス良く感じたりするので、重要な画面サイズなどには黄金比を当てはめてみるといいかもしれません。

Column

色のものさし

「色の3大基本原則(色の3属性)」なんて言うと、すごい専門的な内容のようですけど、そんなに難しいことではありません。

普段ぼくたちがスマホで写真を撮ったりするときに「いい表情が撮れたのに画面が暗すぎて見えないな」とか「せっかくの素敵な空の色がくすんでしまって鮮やかさが足りないよ」と思った経験がありませんか?

これは明度や彩度が低すぎることから起きる問題です。それぞれを調整すれば驚くほど見やすくなったりします。

デザイナー必須のフォトショップはもちろんですが、最近ではそれ以外でも色補正ができるソフトが多く出てきています。

「明度」「彩度」「色相」の3つは、写真を見やすくするだけではなく「色」について考えるときにとても大切な「ものさし」です。

これらを理解せずにデザインすることは、レシピを見ずに、目分量でお菓子作りに挑戦するようなもので、味のクオリティが低くなるのはもちろん、「誰かと共有できる基準」がない状態となってしまいます。「色」だけでなく、画面を見やすくデザインするための基本・ものさしとして「色の3大基本原則」をおさえておきたいものです。

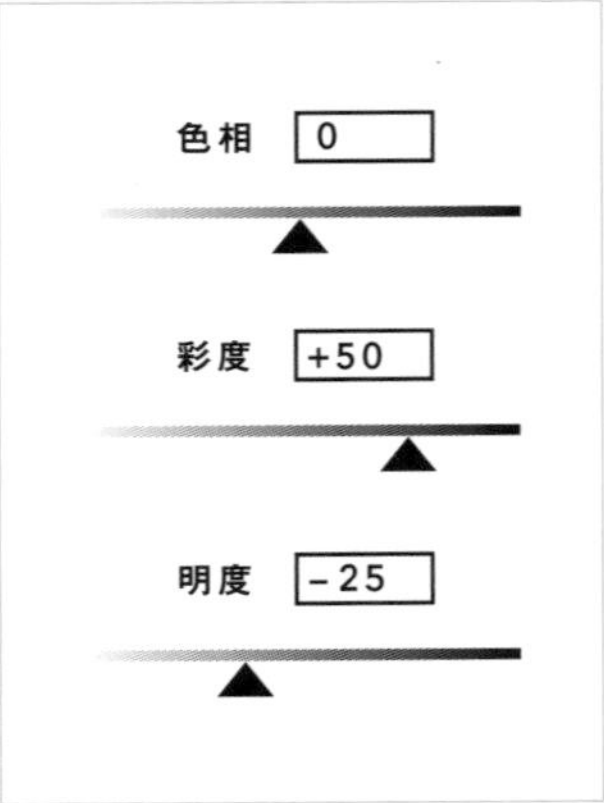

さまざまなアプリに共通の「ものさし」。左右にスライドして、調節します。

フォトショップなどを持っていない方でも、スマホのアプリ検索で「色調補正」や「色環」とか「明度」などの言葉で検索すると「色」を学べる無料アプリが見つけられます。

それらを使うときも「明度・彩度・色相」をものさしとして意識すると、色についての理解が深まっていくはずです。119頁のQRコードもご確認ください。

明度が高い(明るい)

明度が低い(暗い)

「明度」を調節することで随分印象が変わります。

グラフィックデザインに欠かせない
「感性」「センス」も含めて、
誰にでも説明できるくらいに
自分の中で整理されている、

それくらい明快な
「デザインの理由」が
自分の中に存在するのか？　と
いうことなのです。

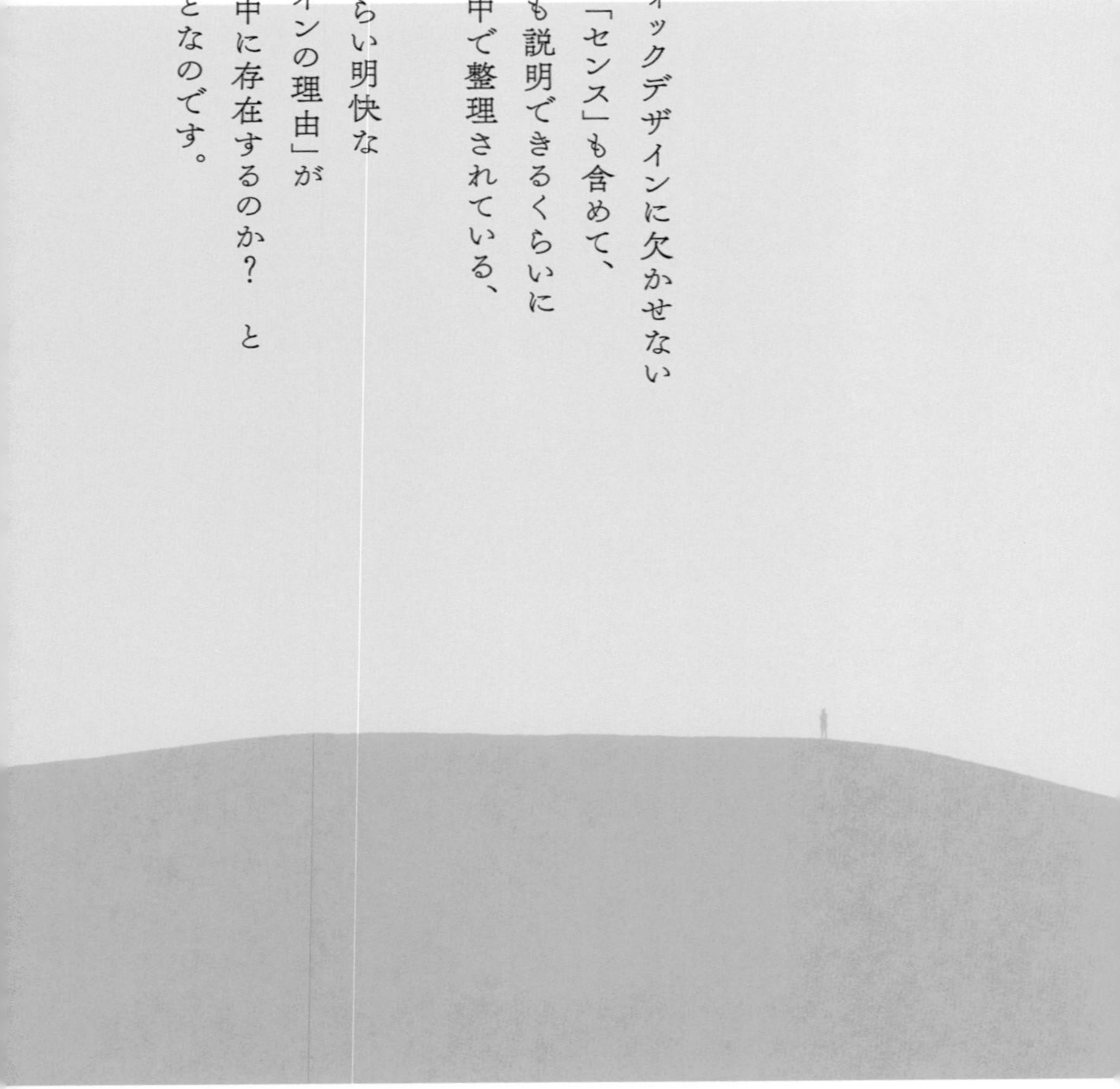

（208ページより）

デザインの現場で

Part 4

自分のデザインから離れて見る方法

プロのデザイナーは自分が作ったモノを客観的に見ることを求められます。ときには**「作る」ことよりも「見直す」ことのほうが大切ではないか**と思ってしまうくらいです。

自分だけが「いやあ、今回のデザイン最高にいいんだよ」なんて言っていても仕方ないわけですし、制作途中でもデザインのクオリティだったり、クライアントが求めているモノが作れているのか、あるいはそれ以上のモノになっているのか、何度もチェックしないとなりません。

もし、自分が作ったモノが独りよがりで、クライアントが求めている方向と違う方向に進んでいるなら、躊躇せずに方向転換したり、みずから破り捨てて、時間が許す限り作り直すことも必要になります。

とはいえ自分で自分の作品をチェックする、また修正していくことは、なかなか難しいものです。

どうすれば自分の作り上げたものを客観的に見ていけるようになるのでしょうか。

結論から言えば、「客観的に見るためには、自分の作品から距離を置く」ということになります。

自分で作品を作っている以上、作り手であるぼくたちは、作品と一番近い位置にいます。アイデアを出し、コンセプトを立てて制作しているあいだ、ずっと作品とともにいるわけですから「あらゆる方法で自分の作品から距離を持つ、離れて見る」ことが大切です。もちろんそれは物理的に離れて見る、ことだけではありません。

では「自分のデザインを客観的にチェックするための方法」を3つご説明します。すべて「自分の作品からいかに距離を取って離れて見るか」ということがポイントになってきます。

①（物理的に）離れて見る

② 時間を置いて見る（一定時間作品作りを中断してみる）

③ 他人の目を借りて見る（他人の意見を聞いてみる）

では、①から説明していきます。

❶（物理的に）離れて見る

「離れて見る」ことの大切さをはじめて学んだのは、ぼくが美大予備校に通って間もない頃でした。

「デッサン」において「モチーフの形を正確に描けるか」というポイントは生命線でもあり、そこを外すと美大入試は必ず落ちると言ってもいいくらいで、元々「デッサン」という科目では、描き進める能力よりも「自分の作ったものを自分でチェックできるか」という能力を見られている気もします。

例えば、多摩美術大学の入試で石膏デッサンを描いたときなど、形は正確に捉えていたのですが、残り3時間というところで、自分のデッサンを1ｍくらい離れてチェックしたとき、石膏像の顔と身体の影のつき方がバラバラなことに気がつきました。

多摩美のデッサンの入試時間は6時間で、まあ1日中描いているので、午前中の光の方向と午後の光の方向のどちらの光で描くか、描き手自身が自分で決めないと影の方向がバラバラになってしまうんですね。

ここら辺は長時間デッサンを描くときの鉄則のようなポイントで、普段なら絶対に間違わないのですが、試験本番の緊張のせいかすっかり忘れてしまい、残りの時間で必死で修正したことがあります。

このエピソードなどは「自分の作品を実際に離れてチェックする」ことで「影の描き方がおかしい」ことに気がつけたわけですが、デッサンの場合は「物理的に離れる」ことでほとんどの問題点に気がつくことが可能です。離れて見ることで冷静に絵全体を見渡すことができるので、影のつき方、形の狂いなど何がしかの違和感が見えてくるのです。

ただ、デザインの場合だと「物理的に離れる」ことよりも「意識の中で自分の作品から離れること」が求められると思います。

そう、まるで他人の作品を見るかのごとく**「はじめてそのデザインを見たような気持ちで自らの作品を見直す」**ことが必要です。

作品を作っているときのノリノリな感覚の熱を冷ますような感じで、コーヒーでも飲んで、はじめてこのデザインを見るユーザーになったような気持ちで見てみることが必要ですね。

ではそのためにどうするのか、2番目のチェック方法が有効です。

② 時間をおいて見る（一定時間作品作りを中断してみる）

これは文字通りで、自分が作品を仕上げた後、しばらく時間をおきます。そして、もう一度、はじめてその作品を見るような新鮮な目で見てみるということです。実際、デザインや絵だけでなく、小説や映画、彫刻などの創作でも時間をおくことで客観的に作品を見直すことができるのではないでしょうか。

例えば、アイデアについても同じことが言えます。「アイデアは一晩寝かせろ」とも言われますよね。

つまりは、これは**一回熱を冷まして「客観的に見ろ」**ということです。

時間をおいて、制作者の視点や感情と離れた位置から、自分の作品を見ることなのです。真夜中に書いたラブレターを朝に見ると「恥ずかしくて見れたものではない」なんて言いますよね。まさにそんなイメージです。

ではなぜ、夜中だと人は恥ずかし気もなく、ずんずんと愛の言葉を書き続けられるのでしょうか。

おそらく、自分がどっぷりとその空想（妄想）の世界に、はまっているからでしょう。妄想の世界というのは、主観的な世界の果てにある極地ですよね。

もちろん、デザインは妄想やただただ主観的な考えの元で作られるべきではありません。そのデザインを見るユーザーに届くものになっているか、そのデザインを経由して「届けたいコンセプトは何か」を考える必要があるわけです。

だから、デザイナーは、主観的な世界から少なくとも一回は、完全に離れる必要があるのです。

「いや締め切り間近だし、無理。そんな時間はありません！」

そんな声も聞こえてきそうですが、「実際にデザインから離れる時間」は「時間の長さ」はそんなに重要ではありません。長いからいいわけではなく上手くやれば5分でも効果があるのです。どれだけ自分の作品から意識を離すことができるかが重要です。

例えば「コンビニでお菓子を買ってくる」とか「誰かにメールを出す」「趣味のサイトを5分間だけ見てみる」でも良いです。

「休憩時間」をとって、作品から遠く離れた場所に自分の意識を持っていくようにしてみましょう。

上手く気持ちを切り替えることができれば、結果的に客観的な視点を持つことができるはずです。

「作品を見直す時間」をいかにうまく取れるか、そしておかしいと思ったら自分でその問題点を見つけて作り直すことができるか、プロのデザイナーとして活躍するために非常に重要なポイントかと思います。

③ 他人の目を借りて見る（他人の意見を聞いてみる）

一人で考えているだけではどうしても答えが出ないとき、「他人の視点」を借りてしまいましょう。

少しずるい気もしますが、**手っ取り早くできて、かなり効果のある方法**です。

まあ、完全な「他力本願」とも言えるんですが、この方法にもいくつかコツがあります。基本的には、自分が見てもらう作品とあんまり関わりのない人にさっと見てもらうのが、一番いいです。

具体的にわからない部分があったり、「あと何かが足りないんだけど、その何かがわからない！」とか「ビジュアルに説得力が足りない……でも描きこみを強くすればよくなるものではない気がする！」というように、解決したいことがハッキリしているときは、自分よりスキルや経験のある先輩デザイナーに聞きますが、「これ、お客様の目線で見たら嬉しいのかな？」というような場合は、**そのユーザーに一番近い立場の方**を捕まえちゃうほうがいいです。

制作物を担当してくれている営業さんに意見を聞くのは、その案件の窓口なので当然のことですが、その営業さんもはっきり言って、その案件にどっぷりと浸かっているわけで、ユーザーの目線なんて期待できません。

他にターゲットユーザーに近い、例えば「特にクリエイティブな仕事に限定しない10代女性」であれば、実際にそういう人を社内で探して見てもらうことも必要かもしれません。

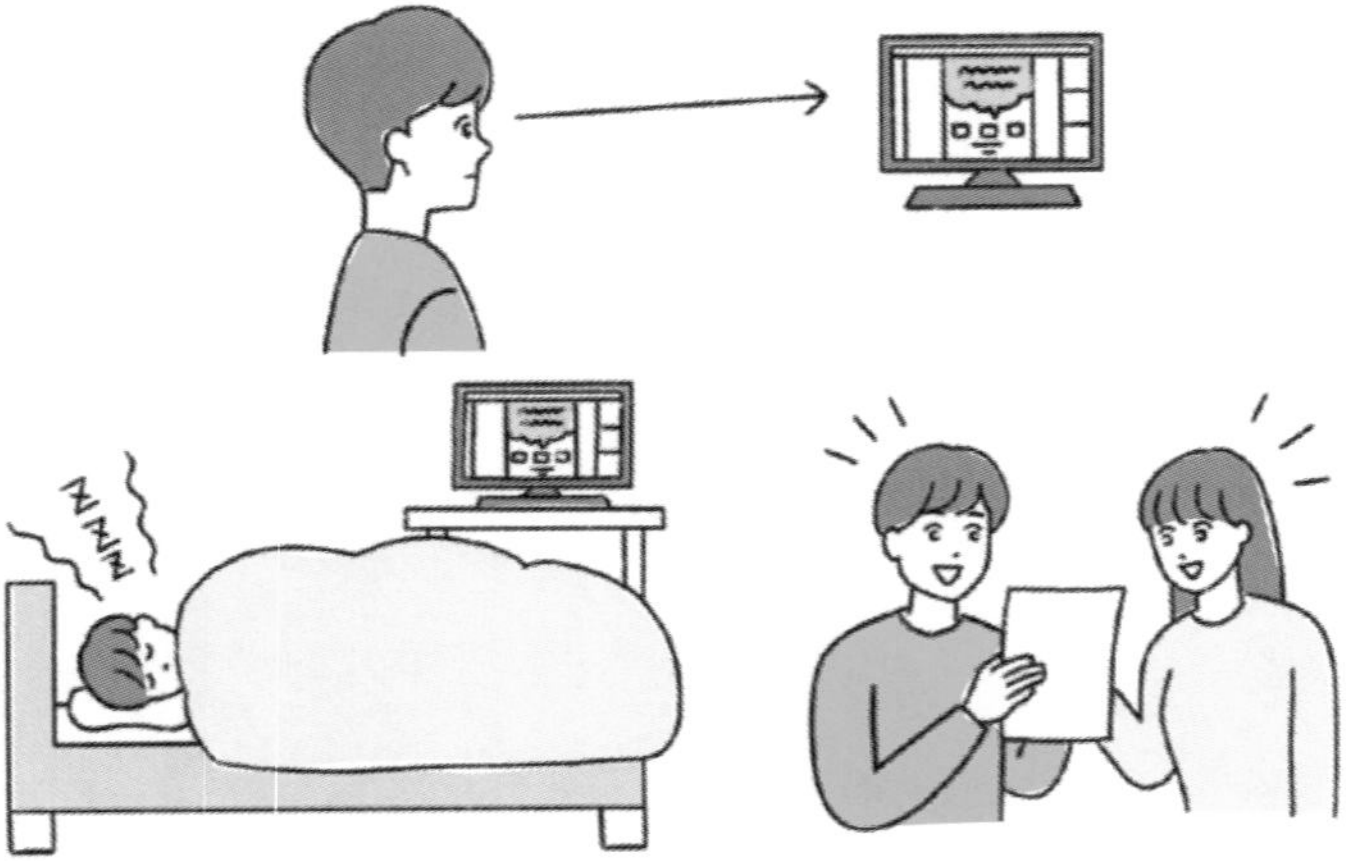

離れて見る／時間をおいて見る／他人の目を借りて見る

ひとつ注意したいのは、あくまでもそれらの意見は参考意見ですので、きちんと自分なりの意見や作品のコンセプトに照らしてみて判断していくことですね。

迷いに迷ってデザインを作っているときなどは、他人の意見は「目から鱗が落ちた」ようにすべて正しいことのようにも聞こえてしまいますが、担当デザイナーはあなたなので、責任を持って最終判断する覚悟は持っていましょう。

さて、これで、「自分のデザインを客観的にチェックするための方法」を3つご説明させてもらいました。

それぞれに共通することは、つまり、「自分の作った作品を、冷静にはじめて見るように見てあげる」ということです。

これを意識的に、作業の最終工程に取り入れることで、完成までに何回も方向性を確認することができます。

デザイナーって、常に明快なイメージを持って一直線に作品を完成させていく印象があるかもしれませんが、デザインに携わる人で迷わない人などいないはずです。

その迷いをなくすためにはどれだけ自分の作品から「離れて」チェックできるか？ にかかっているかと思います。自分なりに効果的な作品チェックの方法を手に入れて**自分の手で自分の作品を修正できる**ようになりましょう。

短期間で上手くなる人の特徴

仕事の現場でさまざまなデザイナーを見てきましたが、短期間でうまくなる人にはそれなりに共通点があります。

いくつか要素はあると思いますし、彼らがどれくらいのレベルにいるのか、ということで話が変わってきますが、特に新人デザイナーの場合「一つひとつ早めに完成させる人」のほうが成長のスピードは早いようです。

70%くらいの出来でも、とりあえず完成させていくほうがいいです。もちろん「ここは少したっぷり考えてもらいたいな」という場面もありますが、基本的にはちょっと雑な部分が残っていても「やりたかったことはこうなんだ」と見た人がわかるくらいのものを、いったん7、8割仕上げてみて、先輩に意見を求めたほうが、結果的にいいモノができますし、成長は早いです。

自分もそうなのですが、デザイナーになるような人って〝凝り性〟ですし、最後の最後で「あーでもない、こーでもない」とうんうん悩んで、進まなくなってしまうことが多々あります。

経験のないデザイナーの場合、さらにどうしたらいいかわからなくなってしまい、時間ばかり経ってしまうことがあるんです。

そうなるとだんだんデザイナー本人が、「一体何が悪かったのか」もよくわからなくなってしまい、次も同じような間違いをしてしまうことにつながります。それよりも、少し雑で完成度が足りなくても、他人に見せることができるところまで作り上げるほうが、制作サイクルとして健全です。

見せてもらった先輩デザイナーたちも「アドバイス」もできますし「ダメ出し」も出せるわけですよね。

「ダメ出し」というと否定的に聞こえるかもしれませんが「適切なダメ出し」って、「その方法ではダメなんだ」と理解できることにつながるので、すごい前進なんです。

よくないのは、「そのさき、手を加えていけばどういうデザインにでもなってしまうような途中段階のもの」しか見れないような「ダメ出しさえできない」状態で先輩に見せることです。他の人の意見が聞けるチャンスだったのに、それをうやむやにして時間だけすぎていくことになるのはもったいないわけですよね。

ある新人デザイナー（デザイナー歴1年くらい）の方にアドバイスしていたときに感じたのですが、言葉で「こんな感じにします」と話してくれていたのに、その後、まったく違う方向に舵を切ってデザインが仕上がりそうになっていて、結局ほとんどまるまるやり直しになったことがありました。

言葉だけだと結構どういうイメージに仕上がるのか曖昧です。でも、70％くらいできているものをお互いに見ていれば、ビジュアルとしてイメージの共有はできますし、その時点で全然方向性が違うなら、最悪ほかのデザイナーが巻き取ることもできるので、制作体制としても万全です。

もちろん「70％作れば、先輩デザイナーがすべて判断していい方向に持ってってくれる」なんて思っているのはダメで、そこに成長はないでしょう。

誰かに見てもらうときには、経験が浅いデザイナーでも「どういう意図でデザインしたのか」をきちんとレコメンドしたうえで、それについて先輩デザイナーが何と言うのか……これを考え続けることが大切です。

あとは、とても当たり前のことですが、**何をおいてもデザインが好きな人が最強です。**

なぜ「得意」ではなく、「好き」なのか。

「得意」の中にはその人の感情がなく、ただ、客観的に見て上手なだけなんですね。思いこみではなく「どうしてオレはこんなにデザインが好きなんだろう」と本気で思える人が結局一番強い気がします。

「何回やり直してでも絶対良いデザインにしよう！」と心から言えるのは、もしかしたら、一番得がたい「才能」かもしれません。

どんな分野でもそうでしょうけど、デザインにおいても「好き」という感情を自分の中に持っていられる、と言うことは本当に大切なことです。

そしてそういう方は必ず上手くなっていくんですよね。

「視認性」を確認する

「視認性」という言葉をご存知でしょうか。デザイナーであるぼくは普通に使っているので、一般的に伝わるのか、ちょっとわかりませんが、クライアントさんにいきなり言っても伝わらないときがあるので少し専門的な言葉かもしれません。

辞書で調べてみますとこんなふうに出ます。

「目で見たときの確認のしやすさ。デザインや人間工学の分野において、背景に対し色や形が際立っていたり、文字が大きくてわかりやすかったりする度合い。（使い方：視認性の高いデザイン)」

ということで、ざっくりと押さえておきたいポイントは「見せたい情報がユーザーに見えているか、読めているか?」ということです。

言うまでもなく視認性とはグラフィックデザインにおいて非常に「大切な要素」です。

なぜなら、**視認性が高いデザインと視認性の低いデザインでは「伝えたい情報がきちんと伝わるか」において大きな差が出てくるからです。**

伝えたいことがあるからこそのグラフィックデザインであるのに、視認性が低い、見えにくくわかりづらいのであれば、そもそもデザインの意味がありません。

当たり前すぎるくらい当たり前のことですが、結構抜けてしまうときがあるので、ぼくも必ず「視認性が確保されてるか」デザインのチェックをするようにしてます。

では具体的に「視認性」を高め、「見えやすい・わかりやすい」デザインにするために何をすればいいのかをご説明していきますね。

他にもありますが、とりあえずこの2つに気をつけるようにしてください。

① 見せたい情報と背景の色(色相)や明度に差をつける

②　見せたい情報は大きく見せる（特にテキスト情報）

書いてみると、当然のことですが、ものすごい大切なことです。まだデザインをはじめて間もない人は特に、デザインを作り終える前に、ぜひこの2点を必ずチェックするようにしてみてください。

ぼくも今まで、職場で多くの新人デザイナーのデザインを見てきましたが、初心者はかなりの確率でこの「視認性」をないがしろにしている方が多いようです。そして逆に経験を積んだデザイナーであればあるほど、「視認性」についてみずからチェックして、見えやすいデザインを心がけています。

多分、伝えたい情報が伝えられなければ、デザインとして意味が無い！　ということを経験上、身に沁みてわかってるからでしょう。

街なかで見かけるいろいろなデザイン、広告やショップの看板、チラシ、もしくはwebサイトのデザインを「視認性」という物差しを持って見てみてください。そのデザインの中にある、伝えたいコピーや社名・ブランド名で、視認性が確保されていないデザインってほとんどないと思います。

写真の上に文字が配置されている場合、文字と背景写真の明度差は一定にならないので、袋文字（※文字に白い罫線をすべてつける方法）にしたり、背景写真に白いぼかしを入れたりと、何か工夫をして見せたい文字をなんとしてでもユーザーに届けようとしているはずです。

①と②のポイントについて、あらためてご説明しますね。

1 見せたい情報と背景の色（色相）や明度に差をつける

色相と明度と書きましたが「明度差」（コントラスト）が特に重要です。見せたい情報（文字など）と背景の明度差をしっかりつけてあげれば、多少見えにくい色を使っていても、とりあえず視認性は確保されます。「読ませたいテキストがあるのに、そのテキストが読みにくい明度の背景色を使ってしまうケース」は、かなり致命的なミスです。

例えば、薄いグリーンの背景だとすると、一見目立ちやすい彩度の高い黄色のテキストを上に置いても明度の差がほとんどなければ、視認性の低い見づらいデザインとなってしまいます。

「なぜそういう間違いをしてしまうのかな……」と考えてみたのですが、多分、「色をひとつの色だけで考えてしまってる」からだと思います。

色の使い方・考え方について誤解している方が多いのですが、例えば、使う色が「彩度の高い黄色」だから目立つわけではありません。

背景の黒や紺など「明度の濃い色の上に置いてある黄色」が目立つのです。

重要なのは「色」ではなく「配色」なのです。

ひとつの色だけ考えてしまっているので、「配色」をするときに「明度」を意識しない、ないがしろにしてしまうケースが多いのです。

例えば、交通標識で「止まれ」の文字がはっきりと見えるのは、背景色の黄色と文字色の黒に明度差があるからです。視認性が高く、見えやすいデザインが実現されているわけです。

明度差を確認したいときは、対象のデザインを目を細めて見てください。

視認性の低いビジュアルは、すぐに何も見えなくなるでしょう。目を細めても読ませたい

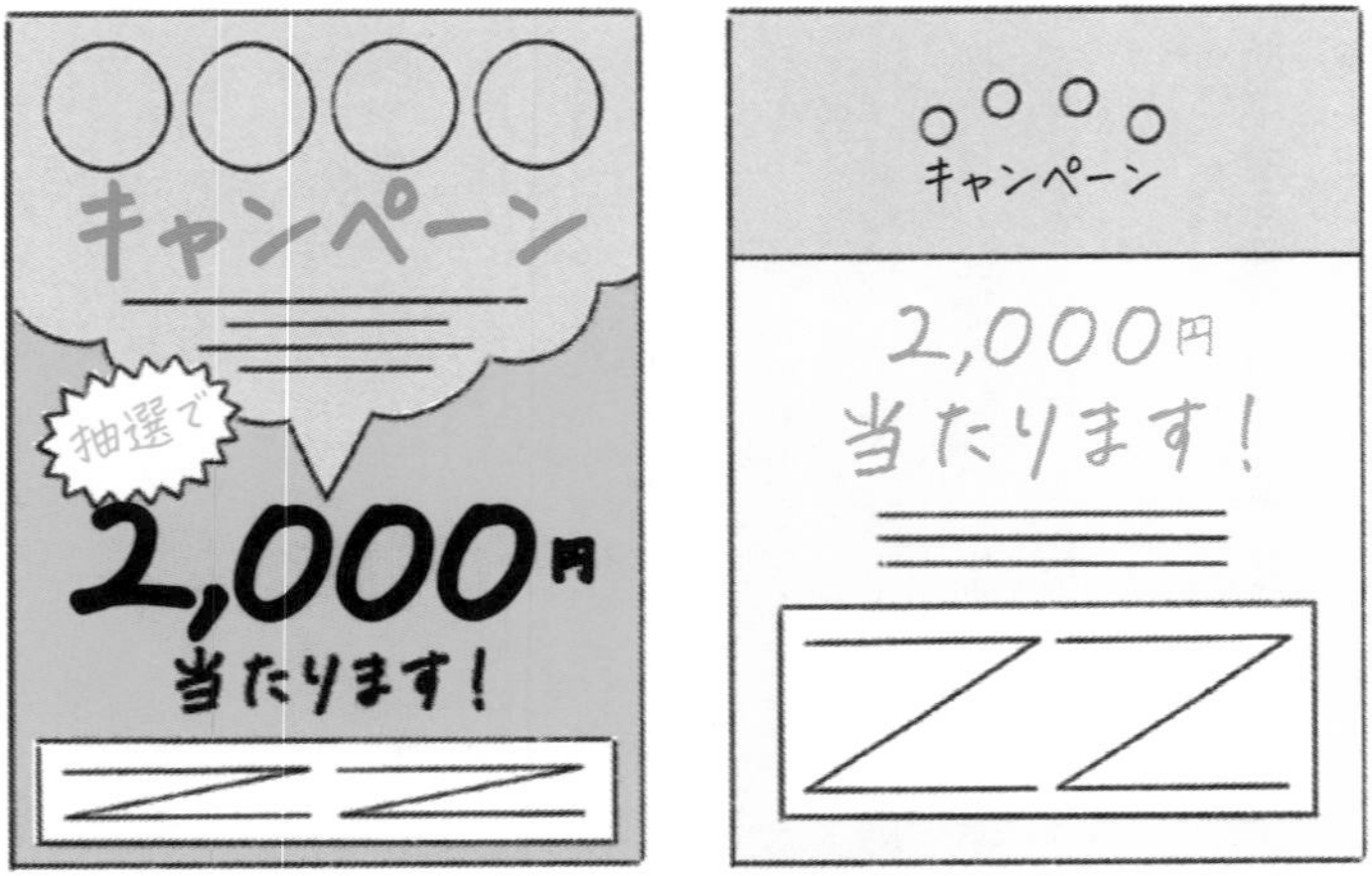

視認性が高い広告（左）と視認性が低い広告（右）

情報がある程度見えてくるのが視認性の高い配色です。

ほかの章でもお話しましたが、「配色」とは色の組み合わせを考えることです。「黄色が目立つかしら」と考えるのではなく「黄色と何色の組み合わせが目立つのかな」と考えるようにしましょう。

これは、視認性を考えるうえで、かなり大切なことです。

覚えておいていただけるとうれしいです。

そして、視認性を確保したいときは「色より明度合わせ」という認識も持っておいてください。視認性を支配し決定するのは、ほとんど「明度差」なんですから。

❷ 見せたい情報は大きく見せる

基本的に、見せたい情報は「大きく」見せましょう。初心者のデザインで、タイトルはもちろんのこと、キャッチコピーや説明文のテキスト部分がなぜか小さくて見えない！　ということがよくあります。

デザイナーは企画段階から何時間・何十時間も案件と向かい合い、内容もわかり切っているので、ついついユーザーも内容を少しは知っているような気がするのかもしれませんが、ユーザーがそのデザインを見るのは、まずはじめてです。

1秒見て興味を持てなければ振り返ってデザインを見直すことはないでしょう。「文字情報の視認性が悪くて読めない・見えない」ということは、興味を持つ・持たない、という土俵にさえ上がってもらえないことを意味します。デザインを作った意味さえ失うくらい致命的なミスです。

もちろんユーザーが興味を持つのは素敵なビジュアルであるかもしれませんし、可愛いモデルの微笑みかもしれませんが、伝えたい情報を受け取ってもらうことが目指すゴールなので、伝えたい文字情報はキッチリと明快に伝わるように意識しましょう。

「視認性」とはただ見えるか、見えないかということだけでなく、**何を一番見て欲しいか**というデザイナーの意思まで含まれているように思います。

そう考えると「視認性」はグラフィックデザインにおいてますます大切なものだと言えます。

伝えたい情報が一番目立って伝わるようにデザインされている、この当たり前のことができていないデザインとは、まるでマイクの感度が悪くてメインボーカルがよく聞こえないライブのようなものです（確実に怒られますね）。そんなライブは絶対嫌ですよね。デザインでも同じです。

ぼくたちデザイナーは、盛りこむべき情報がたくさんある中で、一番伝えたい情報から順番に目立たせて、ユーザーがスムーズに情報を見られるように整理してあげないとなりません。

基本の〝き〟なのですが、これらがきちんとできているだけでも作っているデザインの質がかなり変わってくるかと思います。

「A案だけでなくB案も」

「バリエーション出し（B案出し）」について書かせてもらいます。

「バリエーション」という言葉は、もう和製英語なんで当然ご存知かと思われますが、デザイナーはこの「バリエーション出し」に苦しまされたりします。

ちなみにこの「バリエーション」という言葉を、「変化の差異があまりない」という否定的な意味で「A案のバリエーションでしかない（A案を少し変えただけ）」と使う人もいますが、「バリエーションに富む」という意味もあり、ここでは肯定的に受け取って話を進めます。

もし違和感を感じるのであれば、「バリエーション」を「種類」とか「別の案」と置きかえて読んでいただければと思います。

忙しいのにいくつかのバリエーションをつくるのは「面倒なのでは」と思うかもしれませんが、これには利点があります。

1つ目の利点はクライアント自身に「選んでもらう」ことで、満足してもらいつつ、ほぼ、その場でデザイン案が決定するということです。

1案だけ見せるプレゼンの場合、定食屋さんで言えば「おすすめランチ定食だけしか選べない」という状態です。

よほど味に自信があって、その定食がお客さんの好みにばっちりあっていれば文句もないでしょうが、客側からすれば、「お金出しているんだから自分で選びたい……」と思うでしょう。よほどいいものでない限り、何かしら不満が残る可能性もありますし、人によっては、「お店側が作りやすいものをおすすめにしているだけじゃない?」と疑うかもしれません。

デザインも同じです。作りやすいものを提案しているだけでは? と思うクライアントだっているのです。

ぼくの経験からすると、時間がなくて1案だけお見せしてしまった場合、その場でクライアントの了解を得ても、後日「もう少し別のものも見たい」とか「求めてるものはあれではないんですよね〜」と言われてしまうケースが多いです。

そうなってしまうともう一回プレゼンをやり直すことになってしまい、デザイン決定までかなり時間がかかることになってしまいます。


ですから、デザイナーであるぼくたちがクライアントにデザインを提案するときは、**「最低2案、A・B案程度はバリエーションを用意する」**気持ちでいくべきでしょう。

もっと言えば、「いつでも対極のデザインを2案用意できる」くらいにならないとこの世界で生き残ってはいけないかもしれません。


ただこの「バリエーション出し」については、コンセプトもなく数だけ多くデザイン案をクライアントの前に並べればいいわけではありません。

自分が打ち出したいポイントや〝本当のレコメンド（提案）〟がなんなのかもわからずに、デザインが数だけいっぱいあってもクライアントは迷惑なだけです。

それでは自分で決めきれず、ただクライアントや先輩に選ばせるためにデザインを作ってるようなものだからです。デザイン案を複数出すときのコツとして、まずコンセプトから考えていくといいでしょう。**考えかたが違うコンセプトを選ぶようにします。**

数多くバリエーションを出せることはとてもいいことなので、いくつかの案を用意したうえでA・B案程度まで絞りこんで、「でもやはりA案がおススメです」と理由も含めて明快に言えれば、ベスト！　ということです。

さて、そんな風にA案とB案というバリエーション（別案）を出すときに大事なこと、注意しないといけないことがあります。

それは、A案とB案が、きちんとA案、B案になっているのか、差があるのか、ということです。

自分も時々そうなってしまうので注意していますが、提案したモノが「A1案」「A2案」くらいの差にしか見えないということで、A案とB案が「十分に違ったもの」として提案できていないことがあるのです。

「かけ離れた2つの案」をいつでもさっと作ることって、なかなかに大変なことでもあるんです。

以前、仕事でコンペ用のwebデザインのA案・B案を同じデザイナーに作らせてみたことがあります。

通常、A案は田中さん、B案は佐藤さん、とデザイナーを分けて作ってもらうんですけど、そのときは期限に余裕があったので、勉強の意味も含めて田中さんに両方作ってもらいました。

田中さんは、仕事を家に持ち帰ってまでして、一生懸命に作ってくれて、なんとかA案とB案を両方とも作り上げて、見せてくれました。

しかし残念ながら、ぼくから見ると「A1案」と「A2案」にしか見えませんでした。違うものになっていない、「バリエーション（別案）になっていない」状態です。

もちろん、そういうバリエーションの出し方を要求される場面もありますが、そのときは明快に分けてもらいたかったところでした。


このことは、経験不足と言ってしまえば簡単なのですが、なぜ田中さんは2つの案を誰が見ても別のバリエーションだと思える（くらいに差をつけた）デザインを用意できなかったのか、考えてみました。

離れた2案を用意できるということは自分の心の中に持っている世界が広くて深い、ということです。こう言ってしまうと、デザイナーが世間一般の方に比べてとても優れているようですが、そんなことはありません。違うコンセプトを立てることができて、アイデアをビジュアル化できる術を持っているだけです。多分、誰もが知っているような有名企業の経営者なんて、そういうアイデアを出せ、と言われればいくらでも出せる気もします。見てきた世界や見ていなくても想像できる世界がだだっぴろいんでしょうね（笑）

デザインのバリエーション出しに話を戻しますが、例えて言えば、先輩のデザイナーは公園全体を見渡せてるけど、田中さんは公園の一部である砂場くらいしか見えていないとします。では、これを改善するにはどうすればいいのでしょう？

簡単なことです。田中さんが、砂場を出て、どんどんと歩いていけば良いのです。比喩のお話だけでなく、例えば自分がデザインのもとを求めて街を歩くときでも、いつも同じ場所・同じ店へ行くのではなく、できるだけ普段は自分が行かないような場所へ行ってみたりしてください。

あるいはお気に入りのお店を決めていくにせよ、できるだけあたらしい情報が入ってくるようなところをチェックするとか、やり方はいろいろとあるでしょう。

昔、傘をデザインしていたとき、女性に人気のお店にも足を伸ばしてトレンドを見るようにしてました。やはりそういう場所になじみのないぼくからしたら新鮮なモノがいろいろとあって、自分の世界を広げることに少なからず役に立ったと思います。

楽しみながら自分の世界を広げたり、深掘りする努力はしたほうがいいです。

フェミニンなものが好きな人であれば、メンズブランドの腕時計とか小物を見に行くとまた新鮮に感じられるかもしれません。

「企画は記憶の複合体」みたいなことを誰かが言ってました。

結局のところ、おもしろい企画って、一から作るわけでなくてとにかく今までに見て来た、「おもしろかった」ものの記憶たちがある瞬間にくっついてでき上がる、組み合わせの妙だと思います。ですから当然、元々の記憶が少なければ、組み合わせることもできないわけです。デザインも同じことで、元々の記憶（つまり経験）をまずは可能な限り増やさないとまずいんですよね。

記憶にあるものを「表現できるかどうか」という技術的問題はあります。それができるようになるには、なるべく「実際に作ってみる」という数稽古をばんばんこなしていけなかったりします。

ですから、B案を作ることは無茶ぶりではなく、あなたのデザインを確実に成長させてくれる機会です。

稽古ができる絶好のチャンスとして、いいものをたくさん見て、バリエーションに応えられるようにしましょう。

組み合わせアイデア発想法

アイデア出しの話をしてきたので、関連するお話を書かせてください。

アメリカのデザインスクールで学んでいるMさんという読者から、お悩みメールが届きました。


「僕はいつも発想で苦しんでいます。

課題が出た後、締め切り日には、必ずどのクラスでも壁に作品を貼り、批評会をします。

（中略）

クラスの中で、「この人は才能があるなあ」と、目をつけている人たちが数人いますが、その人たちが出すアイデアはどれもクオリティが高く、出来上がりにムラがありません。僕とは発想が違うな、と思います。どうしたらコンスタントに人とは違うようなアイデアを出すことができるのでしょうか？」

質問は「アイデア、発想」ということでした。

デザインするうえでも、何かの企画出しでも、いろいろなアイデアを出していくことはとても重要です。

まず言えるのは、人がはじめに思いつくアイデアって結構平凡だということです。

ネガティブに聞こえてしまうかもしれませんが、決してそういう意味ではありません。

例えば、とあるシナリオスクールで「窓」というテーマで短編のシナリオを書いてみなさい、と生徒に言うと、かなりの割合で「窓ふきのアルバイトの若い男性と大企業で働くＯＬの女性とのラブストーリー」ができ上がってくるらしいです。

なんでこのような物語を揃いも揃ってみんなが持ってくるのかと言うと（講師の方いわく）、受講生の多くが「ロミオとジュリエット」的なイメージを無意識的に持っているのと、意外な出会いからはじまる〝月9〟などのドラマが大好き、といった影響ではないかとのことです。

そしておもしろいことに、その凡庸なラブストーリーを思いついた人は大抵、自分では相当に斬新な発想で物語を考えることができた、と自信満々で持ってくるらしいです。

また、広告代理店の採用試験か何かで**「ネクタイの普通ではない使い道をあげなさい（できるだけあたらしく、おもしろい発想で）」**というお題を出してみると「ネクタイで首を絞めて人を殺す」と言うのが一番多い答えなんだとか。またここでも、その答えを出した人は、それなりに自信ありげにその答えを持ってくるらしいのです。

何が言いたいかと言えば、一般的に人が最初に思いつくアイデアってそんなものだということなんです。

自分で思ってる何倍も、自分のアイデアって凡庸だ、くらいに考えておいてちょうど良いということです。

そのことを前提に考えていかないと、なかなかいいアイデアって思い浮かばないのではないでしょうか?

ですから、まず最初に思いついたアイデアをいろいろな方法で変形させ、別のものも加えて、組み合わせも変えて「それでもどうか? まだ足りないのか?」というくらいに試行錯誤しなければ、いいアイデア、おもしろいアイデアは生まれないということだと思います。

例えばさきにあげた「ネクタイの普通でない使い道をあげなさい(できるだけあたらしくおもしろい発想で)」というお題に対する答えで、合格点をとったアイデアに「蛇のベッド」というのがあったらしいです。

「ネクタイを裏返してみると蛇がちょうど入れるような寝袋のように見えたりする」というアイデアで、まあこれが最高の答えかと言えばわかりませんが、一般的に思いつくアイデアレベルとは違うレベルで考えた、あたらしいもののような気はしますよね。

凡庸だという例であげた「人を殺す」というアイデアは、一見センセーショナルで斬新なようですが、人の首を絞める場面って、サスペンスドラマで見たことのある「よくあるシーン」だったりしますし、ネクタイって元々首にまきつけるものですし、使い方の発想として

ネクタイをひっくり返すと……というアイデア

は普通レベルでしかなかったりします。

でも、蛇のベッドだとなかなか思いつかないですよね。目のつけどころとしておもしろいかなと思います。

ではそういうアイデアはどうやって思いつくのでしょうか。

おもしろいアイデアを思いつけるようになるために、どんなことをすればいいのでしょうか。

ここから具体的なアドバイスをさせてもらいたいと思います。

まず、まったく違うジャンルの雑誌を3～5冊ほど用意して、おもしろいなと思ったところに付箋を貼っておきます。

そして、すこし時間をおいてみて、暇なときにそれら雑誌をつなぎ合わせて企画を考えてみてください。

このやり方で良いところは、

・まったく違う雑誌のスタイルのおもしろさ同士をつなげることができる

・違うスタイルのおもしろい点ではあるけど、〝あなたがおもしろい〟と思ったという共通点がある、ということです。

5冊の雑誌は、ジャンルなどが、違うものであれば違うほどいいと思います。ジャンルが多いほど、それだけアイデアの幅が広がるからです。

例えば園芸雑誌とロック雑誌、格闘技の雑誌と、英会話の雑誌……など、バリエーションがあればあるほどに組み合わせがおもしろくなり、普通では考えられないアイデアを強制的に考えないといけなくなりますよね。

でもそこは、あなたが一応おもしろいものだと選んでいますので、あなたが好きなものである、という共通点は残ります。

この共通点によって、相当無茶なアイデアでも結構まとまりますし、最終的にあなたの個性もどこかに残るので、アイデアが馴染んで、意外と違和感はないはずです。

よく何かのアイデアを出すときに180度違うもの、真逆なもの同士を組み合わせると、その2つの間にあるさまざまな要素を含んで非常に深みのあるアイデアが生まれる、なんて言います。

ヒットした映画や小説、ドラマのタイトルなどでもこの手法が使われているものがあります。

・『夜のピクニック』→ 普通ピクニックは夜にするものではない
・『もののけ姫』→もののけと姫、真逆なものを2つくっつけてます
・『おんな太閤記』→通常、太閤記は男性が主人公ですよね
・『戦場のメリークリスマス』→戦場とクリスマス、これもまあ真逆なものですね

ざっと思いついたものだけでもこれだけありますが、ビジネス本の題名とか、この方法で興味をそそられて手に取らせようとしていたりします。

5冊の雑誌を組み合わせる方法は、そういうまったく違うパーツを組み合わせるという効果を狙った方法のひとつであると言えるでしょう。

この方法は齊藤孝さんが『齊藤孝の企画塾』という本で紹介していた方法で、結構昔からある古典的な方法でもあります。

何かを企画するとき、アイデアを出さないといけないときなど、一度試してみるとおもしろいかと思います。

ちなみに、今でもメールマガジンは続けていますし、デザインに関する質問であればどんなものでも募集しています。

できる限りいろんな話を聞きたいと思っているので、本を読んでくださっているあなたもぜひ、お送りいただければと思います（プロフィールにアドレスを入れています！）。

ビフォー・アフター デザイン上達法（一人ぼっちのデザイナーへ）

「アドバイスをしてくれる先輩デザイナーがひとりもいない職場でデザイナーをしていますが、自分のデザインスキルを自分一人でどうやってあげていけばよいのでしょうか。効果的なデザイン上達法があれば教えてもらえないでしょうか」

思い切り要約させてもらうとこんな感じのメールを、かなりの頻度でいただきます。大抵は就職して1～2年の新人デザイナーさんからのご相談が多いですが、正直、はじめてこういうご相談をいただいたときに、「デザイン制作会社」って何人かのデザイナーが机を並べているイメージしかなかったので「デザイナーが社内にひとりって珍しいケースだろうな」と思っていました。しかし経営者目線で考えてみれば、デザイナーに限らず社員は少ないほうが人件費がかからなくていいですし、自社デザインは一人のデザイナーだけでこなしてくれれば随分おトク……と考えるのが本音かもしれません。

つまり、「職場にデザイナーほぼ一人で、先輩からのアドバイスももらえず、どうやって自分のデザインスキルをあげていけばよいかわからない……と、途方に暮れているという状態は決してレアではない！」ということがわかってきました。そしてその後、実際に何人かの読者さんとやり取りをしている中で「社内にデザイナーぼくひとり！」状態の方々もひとりでできる有効な上達方法を紹介したいと思うようになりました。

まず、おすすめなのが、ビフォーとアフターを比べられるように制作途中のデータを複数残しながらデザインを修正する、ということです。

これは後々見返したときに「どこを直したからよくなったのか？」を自分で振りかえることができるようにするためです。

さんざん修正をくり返した最終形だけしか残っていない場合、そこにいたるまでのプロセスが見えず、せっかく気がついた修正点も忘れがちになってしまいます。

周りに助けてくれる人がいようがいまいが「デザインする」ことは孤独な戦いです。一度失敗したことを忘れて繰り返すようでは、時間がいくらあっても足りないのです。修正点を振りかえり、次に活かせるようにしましょう。

理想を言えば、「ビフォーの作品」「アフターの作品」をプリントアウトしてノートに貼り、横にメモを書きます。

どこを直して良くなったとか、自分のデザインの悪いクセなどをどんどん書きこんでみると良いでしょう。

それは世界にたった一つのあなただけのデザインの参考書になるはずです。

目的はずばり「同じ間違いを繰り返さない」ことで「いいデザインを何度でも作れるようにする」ことです。

つまりは、デザイン作りの一発屋で終わらず、何度でも良いデザインを再現できるヒットメーカーになるのです。

この部分がそっくり抜けているために、何度も同じ間違いをして伸び悩む人は結構います。

ぼく自身もそういう経験があるので、ぜひ面倒くさがらずに自分のデザインを復習できるように、ご自身の制作データを時系列で残していってください。

いてみてください。

また、ＰＣでの作業の際に、「最初に作ったデザイン」データを上書きせずに保存してお

ぼくが（デザイン作るときに）やっている方法は、ある程度作業が進んだ段階で、時系列にデータを保存する方法です。誰かのアドバイスが入る前にあなただけの力で作りあげたものをはじまりのデザインとして、デザインがどのように変化していったかを残したいのです。

具体的にご説明すると、例えばＰＳＤデータなら、図のようなことです。

作業をしていて、「ああ、結構デザイン変わったかも」という区切りの良いタイミングで、01→02に名前を変更して、保存するだけです。

これは、時系列順に自分のデザインを振り返れるのと、バックアップも残せるので、なんだかんだで、もう10年くらい続けてます。最近は無意識でやってて、気がついたら、一つのデザインにつき、ＰＳＤファイルが10個くらいある感じです。

この方法の良い部分は最初のデザインと最後にオッケーをもらった（出した）デザインを

0210426-01.psd ←作業開始から保存

0210426-02.psd

0210426-03.psd

0210426-04.psd

⋮

これが最後のデータ

0210426-08last.psd

比べることで**「何を改善したのか?」「何を改善したからデザインのクオリティが上がり、オッケーとなったのか?」一目瞭然にわかってしまうところです。**

大抵の人は目の前の作業に没頭していて、作り終わった後で振り返ってみてもどこを改善したから良くなったのか、結構わからなくなってしまうものなんですね。せめて「改善した」部分だけでも見えれば、失敗が活かされたことになるわけですが、漫然と「あたらしいデザインをするときにはただベストを尽くす」と考えているとどうしても上達は遅れます。

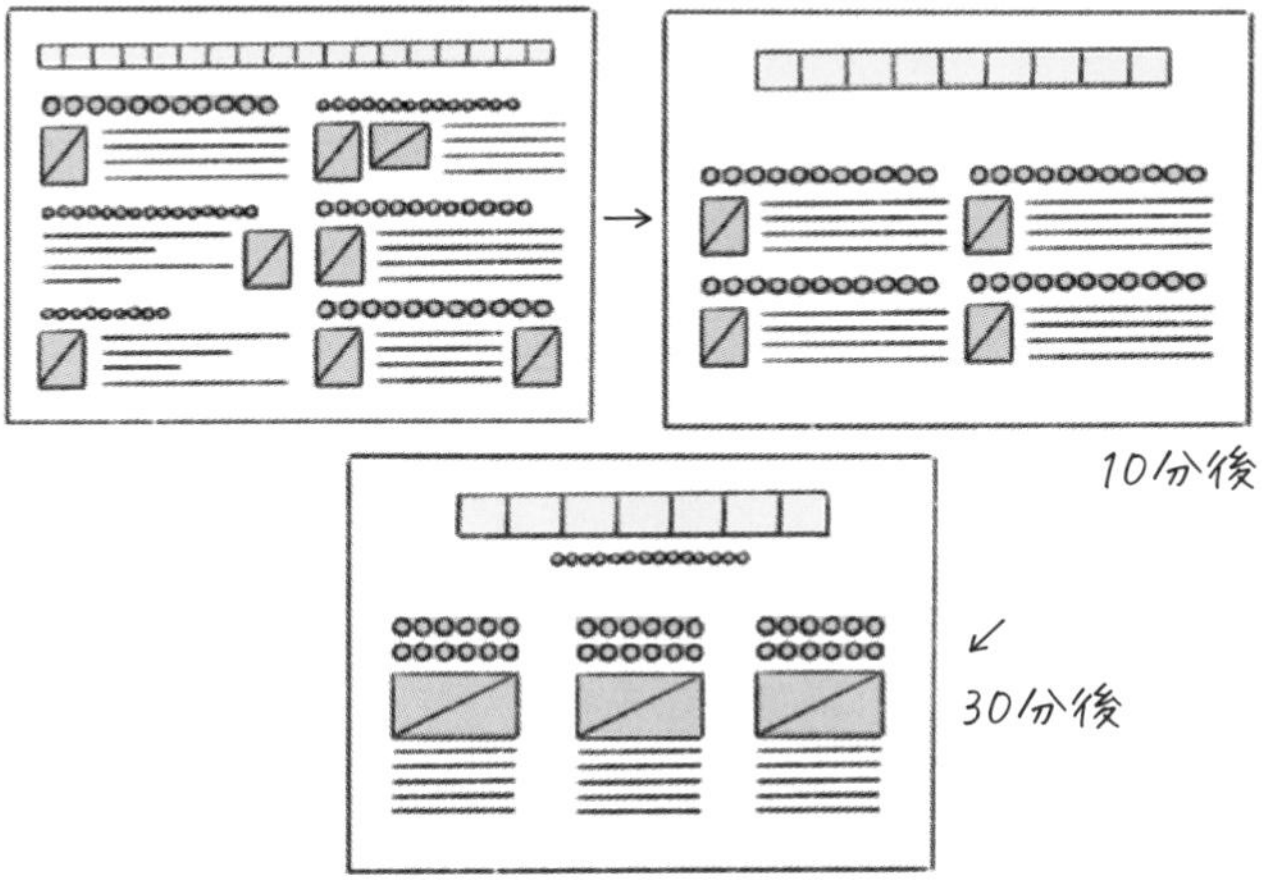

作業を時系列で追うと変化がよくわかる

この方法はどんなデザイナーにも有効ですが、特に初心者のデザイナーであればあるほど、効果が上がったりします。

経験がない分、彼らの「伸びしろ」も大きいわけで、「はじめのデザイン」と「最後のデザイン」との間の修正箇所が明快な形でいくつも現れます。しかし、見方を変えれば、それらの修正箇所はすべて「上達するためのヒント」となります。それらの課題を一つひとつ修正することができれば、一回の取り組みでもステップアップの度合いがとても大きくなる可能性が高いわけです。

そして次のデザインで同じ間違いをしないだけでも作品の質はぐっとあがりますか

ら、周りから見たら「短期間のスキルアップ」としか見えないわけです。こうしたファイルやメモなどをたまに見返したり、似ている案件のものは見返したりすると発見があるので、自分の作ったものから無駄なく学べるコスパの高いデザイン上達方法だと思います。

「なぜそのデザインにしたのか？」を伝える

ぼくがお世話になった先輩デザイナーのIさんは、デザインを見せにいくたびに、「なぜこういうデザインにしたの？」と繰り返し聞いてくる人でした。

「デザイン全体」のコンセプトからはじまり、「なぜこの書体を選んだの？」「なぜこの色を使った？」「なぜ？」と言われるたびに、ぼくは何度もその根拠を説明しました。万が一にでも「なんとなくこうした」なんてことを口走ってしまったら、すぐさまやり直しを命じられたのです。

今思えば、ぼくのデザインにまるで説得力がなかったから、質問攻めにし「感性だけでデザインしちゃダメじゃないか！」と気がつかせようとしていたのかもしれません。

それからぼくは、どんな小さなデザインでも「なんでこうしたのか」誰でもわかるような言葉で説明できるように、ラフデザインの段階からあらかじめ考えるような癖がつきました。まあそのときはIさんがあまりに口うるさいので「やれやれ」って感じで準備していただけだったのですが（笑）。

はじめはとりあえずデザインをした後に考えた「こじつけ」のような説明に終始していて、結局Iさんに「こじつけ」を見破られるということを繰り返していたんですが、そのうちデザイン全体でなく一つひとつの色選びでも「きちんと根拠がある、説明できるような色選びをしよう、理由が説明できるデザインを作ろう」と考えるようになり、不思議なことに段々デザイン全体にも説得力が出るようになってきたんです。

実際はあまり論理的に考え過ぎてもデザインが小さくなる危険性もありますし、またすべて論理的に説明できて、理路整然となっていればオッケーというわけでもありません。見ている人にインパクトをあたえるためには「普通なら考えつかない発想・ひらめき」も必要で、両方のその匙加減も大切なんです。でも、そこも含めて言葉で言えるくらいに明快になっていないと、結果的にデザインの説得力が弱くなると思ってます。

これは説明できるようなボキャブラリーが自分の中に存在するか、とかプレゼンのスキル云々を言ってるわけではありません。

グラフィックデザインに欠かせない「感性」「センス」も含めて、**誰にでも説明できるくらいに自分の中で整理されている、それくらい明快な「デザインの理由」が自分の中に存在するのか？**　ということなのです。

当然「**そのデザインにした理由**」は独りよがりな「ただこうしたいから」とか「こういうデザインが好きだから」などではありません。ヒアリングしたクライアントの要望に対しての答えになっているようなデザインでないといけません。そして一番いいのは、クライアントの想像をいい意味で裏切るアイデアだったり、クオリティのものを提示することです。

そこまでの道のりはなかなか大変なものでもありますが、その第一歩は「なぜそのデザインにしたのか？」を説明できる、説得力のある理由を自分に持てるかどうか、だと思います。

「デザインを見せるときは、なぜそのデザインにしたのか、理由も話してくれよ」とIさんがくどいくらいに言ってた意味は、そこにこそあるんだな、って最近つくづく身に染みます。

もし「自分のデザインに何か説得力が足りない気がする」と感じているなら、自分のデザインを言葉で説明できるのか、毎回チェックしてみるといいかもしれません。

誰かに見せるときに、デザインとセットで「なぜそのデザインにしたのか」説明するクセをつけることです。

そしてそのときの相手の反応を見て、デザインが上手くいったか・説得力があったか、チェックするようにするんですね。

少し面倒に思うかもしれませんが、これだけで、あなたのデザイン自体の説得力が確実に上がっていくはずです。

あとがき

本書を手に取ってくださり、本当にありがとうございます。

「まえがき」でも少しお話ししましたが、この本のコンセプトは「図版などは最低限にし、文章だけでデザインの素晴らしさ・デザインの基本や上達法を読者の方に理解していただく」ということでした。

タイトルの「読むデザイン」という言葉にはそういう思いをこめ、「読み物的なデザイン書」という、ありそうであまりない本を目指しました。

そしてこの本の元になったメルマガを配信していた頃から、心がけていたのは「先輩デザイナーや予備校の講師が後輩たちに向けて優しくアドバイスするような視点」で書いていくということでした。

美大入学に向けた準備や、クライアントに満足してもらうデザインを作ることは、孤独で大変な作業です。

そんなときに優しく背中を押してくれる言葉にぼく自身、どれほど励まされたかわかりません。

そんな視点を持ちつつ、ほとんど文章だけでデザインの本質を伝える、という試みは読者がキチンと納得してくれれば、かえってデザインの深い理解につながるはずです。参考作品の表層をなぞって一回だけいいデザインができたとしても、一度きりしか使えない「再現性」のないアドバイス（本質的な理解まで届かないアドバイス）だと、常にひとりでデザインに立ち向かうデザイナーの役には立ちませんから。

そうは言っても、参考になるビジュアルも必要ではあるので、コラムページなどにあるQRコードに参考画像や動画などをリンクしましたので、是非そちらも見てみてください。

今後、ぼくはデザインやアートディレクションの仕事をしながら、メルマガだけでなくユーチューブなどでデザイン講座などもどんどんやっていきたいと考えております。現在公開しているメルマガ・ブログ・ユーチューブチャンネルは、プロフィールに紹介してますので、興味がある方はご覧ください。@designdoorというツイッターアカウントもあるので、気軽にフォローしてください。

最後に、書籍化の声をかけてくださりイメージを共有していただいた旬報社の粟國志帆さん、素敵な装丁デザインを作ってくださった西垂水敦さん（ｋｒｒａｎ）、想像以上に素晴らしいカバーイラストを描いてくださったみずすさん、わかりやすい本文イラストを描いてくださったにしだきょうこさん（ベルソグラフィック）、忙しい中校正を手伝ってくれた妻に心から感謝いたします。

鎌田隆史

２０２１年４月

鎌田隆史
（かまた・たかし）

1966年生まれ。東京都出身。
多摩美術大学 美術学部 グラフィックデザイン科卒業。アパレルデザイン・Webデザイン・DTPデザインと幅広く、デザイナー・アートディレクターとして活躍。2008年より、デザインの基礎を誰にでもわかるように解説するメルマガ「プロが教える美大いらずのデザイン講座」の配信をはじめると、「センスのよさの正体がわかった!」「私でもデザインできる!」と反響を呼び、登録読者数2500人の人気メルマガとなる。現在、デザインのオンライン講座の開設準備中。本書が初の著作。

■ Youtubeチャンネル　Drawing Cafe
https://qr.paps.jp/2QcRT

■ ブログ　Design Door
https://designdoor.xsrv.jp/note/

■ まぐまぐ!　メルマガ
プロが教える「美大いらずのデザイン講座」
https://www.mag2.com/m/0000267534

■ note
https://note.com/designdoor/

センスがないと思っている人のための
読むデザイン

2021年5月10日　初版第1刷発行
2022年2月10日　第2刷発行
著者　鎌田隆史

ブックデザイン　西垂水敦・松山千尋(krran)
カバーイラスト　みずす
本文イラスト　にしだきょうこ(ベルソグラフィック)
図版　吉崎広明(ベルソグラフィック)
DTP　リュウズ
編集担当　粟國志帆
発行者　木内洋育
発行所　株式会社旬報社
〒162-0041
東京都新宿区早稲田鶴巻町544　中川ビル4F
TEL 03-5579-8973　FAX 03-5579-8975
HP　https://www.junposha.com/
印刷製本　中央精版印刷株式会社

ISBN978-4-8451-1693-5